Collection dirigée par Françoise Samson

L'ANNÉE OÙ J'AI APPRIS L'ANGLAIS

Jean-François Duval

L'ANNÉE OÙ J'AI APPRIS L'ANGLAIS

roman

Ramsay

L'auteur remercie la Fondation Pro Helvetia,
ainsi que le canton et la ville de Genève
pour leur soutien.

To Mike R.,
Johnny Winter,
Stevie Ray Vaughan,
John Mayall,
And 123 bottles of Jack Daniel's.

« She was just
Seventeen
You know
What I mean. »

John Lennon et Paul McCartney

« Quiconque essaiera de trouver un sens
à ce récit sera poursuivi ;
quiconque essaiera d'y trouver une morale
sera banni ;
quiconque essaiera d'y trouver une intrigue
sera fusillé. »

Mark Twain
Les Aventures de Huckleberry Finn

« Nos yeux las cherchant encore, cherchant
toujours, cherchant ardemment
à extraire de la vie ce quelque chose qui, tandis
qu'on l'attend encore,
a déjà disparu – a passé sans qu'on le voie, en un
soupir, en un éclair –
en même temps que la jeunesse, que la force,
que le romanesque des illusions. »

Joseph Conrad
Jeunesse

1

Un an avant qu'Armstrong n'aille sur la lune, j'ai failli mourir. Nous avions découvert l'Écosse, nous revenions vers Cambridge. La radio jouait « Lady Madonna » des Beatles et « Guitar Man » d'Elvis. À la sortie d'un tournant, la Mini Cooper a quitté la route, défoncé un muret de pierres et s'est retournée. Simon avait trop serré son virage. J'ai pensé, voilà, c'est maintenant et c'est comme ça, j'ai dix-huit ans et je vais mourir. Ça a duré une éternité. La Mini n'en finissait pas d'être rejetée d'embardée en embardée, le mur partait en éclats, diffusait ses cailloux en tous sens, une explosion, un vrai big-bang en réduction. On s'est éjectés, Tim se tenait le ventre, Simon jurait, moi, sans ressentir aucune douleur, j'ai vu du sang jaillir de mon bras. Je n'étais pas tout à fait sûr d'être encore vivant. Le long du pré, à la sortie du trou qu'elle avait rondement creusé dans le muret, la Mini ressemblait à une boîte de conserve compressée. Une ambulance est arrivée comme un cadeau surprise sur ce chemin isolé et désert. Envoyée par qui? On n'a jamais su. On nous a emmenés, sans nous faire l'honneur de la sirène, à quoi bon, route béante. Piqûre antitétanique, bandages. Simon s'excusait et s'excusait encore, c'était sa faute, il n'aurait pas dû céder à son démon familier, prendre tant de risques dans les virages. J'ai pensé que j'étais ressuscité ou que j'avais conclu un pacte amical avec le diable. Si j'étais mort, j'avais une seconde vie devant moi.

À Paris, l'émeute sourdait. Nous n'en savions évidemment rien. C'était avril 1968.

2

Je vivais depuis trois mois chez les Smith, une bonne dame et son dentiste de mari, la soixantaine, qui avaient beaucoup bourlingué, connaissaient presque tous les pays de la planète, au point que nous en avions fait un jeu pendant les repas : j'énumérais des noms de pays, de régions, et ils répondaient par oui ou par non… La Chine, l'Antarctique, oui, oui, bien sûr, ils étaient passés par là. Ils racontaient leurs traversées de l'Afrique en jeep, l'URSS et son armée délabrée, la nécessité de contenir les communistes au Vietnam. « Si ce domino-là tombe, c'en est fini de l'Occident ! » À dix-huit ans, j'avais l'impression de ne rien savoir et de n'avoir rien fait, et Mr Smith me le laissait bien sentir. Depuis plusieurs jours pourtant, les dieux semblaient me considérer d'un autre œil, et j'avais connu de discrètes épopées. Au fil de notre voyage écossais, Simon, Tim et moi, n'avions-nous pas dormi dans des auberges de jeunesse seigneuriales – de vrais châteaux parfois – et de ruisselants moulins à eau dont les roues à aubes éveillaient les routards d'un crépitement de gouttelettes sur leurs visages ? À la pointe de John O'Groat, une sorcière revêche nous avait accueillis dans un *bed and breakfast* glacial. Tard dans la soirée, au moment de me glisser sous les draps, éberlué, j'avais senti la chaleur de trois bouillottes contre mes orteils – une bénédiction ! Le lendemain, au breakfast, mes deux compagnons s'étaient plaints d'avoir grelotté toute la nuit, « sans même une bouillotte au fond des lits » ; une fille de chambre peu dégourdie, se méprenant sur ce que lui ordonnait sa patronne, m'avait jeté un premier bon sort. Cette année-là, décidément, la chance était avec moi. Ne pas la laisser passer.

3

Le soir, il m'arrivait de m'asseoir devant la télé en compagnie de mes hôtes. Mrs Smith servait alors le thé avec deux biscuits. J'en profitais pour tenter d'améliorer mon anglais. Quand je me réveillais vers 7 a.m., j'entendais Mr Smith, dans son petit cabinet privé, s'exercer au ukulélé et pousser des cris suraigus tout à fait délibérés et ridicules, c'était sa façon de chanter. Hormis moi, ces gens hébergeaient un certain Harry, venu lui aussi parfaire son anglais, un colossal Suisse alémanique aux cheveux coiffés en brosse, yeux bleus, un mètre quatre-vingt-quinze, qui travaillait auparavant dans la banque, avait juste fini de payer ses galons de caporal à l'armée et descendait quasi journellement sa bouteille de Johnny Walker. Une solide constitution. À côté de lui, j'avais l'air d'un nain.

Ma chambre avoisinait la sienne. Pour nous rejoindre – mais personne ne nous rejoignait jamais –, il fallait escalader un étroit escalier. Au troisième et dernier étage de la maisonnette de briques, sur Lensfield Road, nos portes se faisaient face. Compagnons de palier. Harry d'un côté, moi de l'autre. Le géant et le nain. Dans ma tanière, un maigre radiateur glouton en pièces d'un shilling dispensait sa chaleur dans un rayon de cinquante centimètres. Je tirais mon fauteuil vers ses bienfaits, calais mes jambes de travers, genoux repliés contre l'accoudoir, et lisais *Justine* en traduction anglaise – l'édition française de Pauvert se vendait sous le manteau à Paris. Ma petite radio portative était toujours sur *on*, branchée sur *Top of the pops*: « Those Were the Days », « Winchester Cathedral », « Sunny Afternoon », le calamiteux Tom Jones et sa « Delilah »… et parfois des blues superbes, à n'en plus finir, les Creams, John Mayall… Et Elvis qui, comme un diable ressorti de sa boîte, faisait son come-back avec « US Male ».

4

Mike avait mon âge et vivait quelque part en bordure de la ville, hébergé par un vague parent. Il était pauvre comme seuls savent l'être les Irlandais. Il avait une chevelure tout en boucles, coupée court, à la fois charbonneuse et déjà semée d'argent. Plusieurs de ses dents étaient fausses et n'existaient que par la grâce d'un pivot. Il lui arrivait d'en perdre une inopinément et il se mettait alors à masquer sa bouche de sa main en déversant une flopée de jurons irlandais à ébranler les murs des pubs où tous les soirs nous descendions *half pint of bitter* sur *half pint of bitter*. Je l'avais rencontré trois jours après mon arrivée. Il portait une sorte de cape noire qu'il a mise moins souvent par la suite, et il trimballait sous son bras une vieille guitare qui n'avait pas dû coûter lourd. Moi, j'étais fier de ma veste de velours à larges côtes qui venait de Carnaby

Street, où s'habillaient les Stones et les Beatles, et de mes cheveux mi-longs. Nous portions des Clarks. Les miennes étaient de cuir lisse, non pas de daim, et pour leur donner de la patine, une belle teinte ocre aux reflets cuivrés, Mike avait proposé de les faire flamber comme une omelette norvégienne. Ce fut notre première aventure, au lendemain de notre rencontre dans un pub, quand il me rendit visite dans ma petite chambre chez les Smith. J'avais sorti ma bouteille de Ballantine's, arrosé les pompes, il avait craqué une allumette, et mes Clarks étaient parties en auto-dafé, tandis que Mike s'extasiait sur ses propres godillots, auxquels il avait quelques jours plus tôt fait subir le même traitement, m'assurant que dans trente secondes j'en aurais de pareils. Il avait ensuite tiré l'instrument de son étui et, pour la première fois, j'avais compris de quoi il retournait quand on parlait de jouer de la guitare. J'avais refusé de toucher à la mienne, alors qu'il était justement venu pour ça, dans l'idée qu'on pourrait jouer ensemble. Plus tard dans l'après-midi, nous avons descendu comme des rois Regent Street pour inaugurer mes pompes brûlées, même s'il s'était mis à pleuvoir et que nous étions à peu près seuls à nous presser sur les trottoirs glissants.

5

La topographie de Cambridge reste gravée en moi. Du moins, telle que la ville se présentait en ce temps-là. Je n'y suis jamais retourné depuis, alors que je m'étais promis soit de vivre toute ma vie là-bas, soit d'y pèleriner quand le cœur me manquerait. J'habitais à son extrémité nord-est. Je commençais toujours par descendre la rue principale direction sud-ouest, passais devant Marks & Spencer pour gagner le centre. À mi-chemin, sur la gauche, il y avait un cinéma qui donnait alors *The Jungle Book*, tout juste sorti dans la version Disney. Je m'étais payé un ticket et j'avais beaucoup aimé, n'ayant pas revu un Disney depuis mes trois ans. Ensuite, ça avait été *Reflections in a Golden Eye* avec Elizabeth Taylor, puis *The Comedians* d'après Graham Greene. Au début, j'allais beaucoup au cinéma ; tout commence toujours par un jeu d'illusions. Un peu plus bas, on pouvait pousser la porte du Varsity, un restaurant grec où je me suis rendu assez souvent, après avoir rencontré Simon, puis Maybelene. Plus loin sur la droite, proche du centre, le Wimpy, où je me contentais généralement de prendre un thé. À deux minutes de là, j'empruntais Green Street. On débouchait sur Market Place et son marché aux puces du samedi matin. On aimait bien y faire un tour, Mike et moi ; le soleil éclaboussait les bacs pleins de 33 tours pop superbes et même de vieux standards rock'n'roll de Cochran et Gene Vincent. Au coin de Market Place s'ouvrait encore un cinéma dont j'ai oublié le nom mais devant lequel, quand on y a passé *Far From the Madding Crowd* avec Julie Christie, avait patienté une foule bruissante : hommes en smoking et nœud pap, filles en robe longue, une immense queue s'était étirée, contournant tout le bloc de maisons. Même file d'attente quelques semaines plus tard pour *Camelot* et les compères de la Table ronde. De l'autre côté de la place, dans une rue qui s'enfuyait, il y avait The Red Cow, un bouge pour groupes rock où je crois bien avoir entendu un soir Alexis Corner et John Mayall. Ensuite, la théorie des *colleges* le long de la Cam, l'impressionnant King's, mon préféré, avec le vaste quadrilatère gazonné de sa cour intérieure bordant la chapelle dont les portiques conduisaient vers la rivière et ses berges adoucies de saules pleureurs, où les amoureux venaient s'allonger et s'embrasser, après avoir potassé Chaucer.

6

Les premiers temps, je retrouvais parfois Harry au Criterion. Il dominait d'une tête toute la petite foule qui s'agitait dans le brouhaha du pub à rire, à causer, à commander des bières. Ses cheveux drus dressés en brosse contrastaient avec la mode de ces années-là. Ses yeux gris métallisé et perçants, lorsqu'on les rencontrait à l'impro- viste, au hasard d'un mouvement, démentaient totalement l'air balourd et superficiel qu'on pouvait lui prêter. Ses yeux faisaient crouler tout ce qu'on avait pu imaginer à son sujet, une volonté de fer y scintillait, et l'on comprenait d'un seul coup que, de Harry, on ne saisissait au fond rien. Harry, cela se lisait dans son regard, savait qu'il ne ressemblait pas à lui-même. Dans deux ans, on devinait que ce colosse aurait pris trop de poids ; en attendant, son aspect en imposait. Sa voix sonore, teintée en anglais d'un solide accent germanique, tonnait contre le bois des parois, résonnait sur l'acajou du bar et ses traits s'éclairaient parfois de manière enfantine quand la porte s'ouvrait sur des visages familiers. Lorsqu'une fille se glissait dans l'entrée, c'était une Dominique, une Tina ou une Brigitte qui s'amenait avec un petit ami, Harry tirait immédiatement un billet du portefeuille qui ne quittait pas sa veste, réclamant haut et fort au barman des boissons pour tout le monde. Je ne savais si ses largesses étaient l'expression d'un art de vivre, de sa jeunesse expansive, ou une simple façon d'acheter des amitiés. La vie prenait des allures d'expédients. Brigitte cherchait pour une amie, débarquée ce vendredi soir de Londres, et dont on n'apercevait que les cils, un endroit où passer la nuit ; et chacun se disait que s'il parvenait à saisir cette chance, la suite serait peut-être magnifique. Mais on n'y parvenait jamais.

7

Au hasard des pubs, quand l'un ou l'autre type accoudé au bar soulevait ferme sa bière, la tenait gaillardement à bout de bras, le silence se faisait, on comprenait qu'il allait se passer quelque chose, l'atmosphère se creusait et une voix jaillissait, une voix forte et éraillée, lourde de tout le passé des Îles, une voix grave, tendue et splendide où retentissait le fracas des vagues contre les récifs et toutes les mers battues par le vent. Je ne sais si l'on voit encore ce genre de scène dans les pubs d'Angleterre et d'Irlande. On se nourrissait de sel et d'embruns. Et dès que la chanson fabuleuse s'éteignait, dès que la voix mourait, un grand vide s'installait, puis le brouhaha reprenait, je me frayais un chemin dans la foule vers de nouvelles pints of bitter pour Mike et moi, afin de noyer les misères de nos dix-huit ans.

8

Quand j'avais débarqué à Cambridge au début de l'année, je n'y connaissais personne. Je m'étais dit, comme on s'imposerait une contrainte : fais une rencontre par jour, quelle qu'elle soit, et en peu de temps tu auras plein d'amis. C'était une résolution d'une mathématique imparable – pour un type comme moi, elle n'allait pas de soi. Quand j'ai quitté la ville six mois plus tard, je me suis promis de persévérer dans cette voie. Ça n'a plus marché. Je n'avais pu monnayer mon âme au diable qu'une seule et bonne fois. Je n'ai vécu qu'une saison dans ma vie, mais en état de grâce, peut-être précisément parce que j'avais un temps limité devant moi. Un cadre bien déterminé, où il m'était loisible de me recomposer, de me donner une forme nouvelle, de me rendre plus présentable à mes propres yeux. C'était une contrainte oulipienne : faire quelque chose à l'intérieur de ce temps-là, ou crever. Là-bas, j'ai atteint des sommets, après quoi j'ai redégringolé jusque tout en bas. À Cambridge, j'ai été un autre, un type que je n'avais jamais été et qu'il m'est arrivé d'admirer : ce type a existé quelques semaines en tout et pour tout, puis il a disparu. Il est possible qu'aujourd'hui encore certains gardent souvenir de lui – et que quelques-uns, même, l'aient envié.

9

« Listen to that tune. » À la seconde où il disait ça, on savait que Mike tenait quelque chose sur sa guitare. C'était comme une bonne prise qui jaillit de l'eau et se débat au bout d'une ligne, un flash d'argent qui fait vaciller le regard, si fulgurant qu'on n'en croit pas ses yeux. Le miracle d'une prise ! Alors on observait comment Mike développait sa prise, comment il la ramènerait jusqu'à nous, en plein réel – jamais elle n'a décroché. Chaque fois, frémissante, elle traversait l'air, saisie pour toujours, et Mike la déposait avec les autres dans son répertoire, où elles continuaient de battre longtemps. Sacrée besace, emplie de vibrations. Quand j'ai commencé à écrire ce texte, c'est exactement cette sensation-là que j'ai voulu retrouver. « Listen to that tune… What do you think about that ? » demandait-il, les yeux soudain accrochés à une mélodie invisible ; des rimes simples et bluesy fleurissaient naturellement sur ses lèvres, ses doigts happaient les cordes, les faisaient claquer, et la paume de sa main frappait régulièrement le bois de sa guitare pour donner le rythme, comme si nous avions été Huck Finn et Tom Sawyer, ou comme s'il avait été un vieux Noir accroupi sur un ponton au bord du Mississippi gueulant sa vérité à la face du courant.

10

Mike disait que la musique pouvait être une grande arme – « a great weapon » –, qu'elle pouvait changer le monde, renverser les barrières raciales, métisser les peuples, faire tomber des murs, Jéricho et, pourquoi pas, un jour, Berlin. Ça me paraissait étrange. Nous étions en pleine guerre froide. Des années de glace. Cette *cold war* imprégnait tout, pas seulement la politique et les sociétés, mais les cœurs eux-mêmes, et les sentiments. Beckett attendait toujours Godot, Bertrand Russell avait institué son tribunal pour les crimes de guerre au Vietnam, Sartre était surtout connu comme l'auteur du *Mur* et de *La Nausée*. On jouait *Huis clos* au théâtre, l'enfer c'était encore les autres. Dès le début des années soixante, la seule échappatoire pour moi et toute une jeunesse, la vraie force révolutionnaire, boule-versante, celle qui, à l'âge de quatorze, quinze ans

11

Harry m'avait dit, Chris, ce soir, j'ai rendez-vous devant le Kenko avec une amie et une copine à elle, tu veux venir? You wanna come?
– Sure, okay.

C'était sept heures, j'étais en avance. La lumière restait encore limpide et claire, la nuit paraissait ne jamais tomber à Cambridge en cette saison-là: les soirées étaient aussi immenses que ce ciel bleu qui s'étirait à perte de vue – nul mamelon, aucune hauteur pour troubler les ciels d'Angleterre, non, rien qui vienne barrer l'horizon, le ciel là-bas est tout à fait libre d'aller à sa guise, jusqu'où bon lui semble. Un peu plus haut dans la rue, j'apercevais en enfilade, ramassée et condensée par la perspective, l'enseigne du cinéma Regal et le titre du film à l'affiche, inscrit en lettres rouges, illisible à cette distance – mais je savais que c'était *Reflections in a Golden Eye* et, comme un gamin, pour passer le temps, je m'employais à identifier chacune des lettres. J'avais mis des jeans d'un vert léger et ma veste de velours brun Carnaby Street. Autour de moi, il y avait cette espèce de mouvement creux, indéfinissable qui sépare la fin de l'après-midi du début de la soirée. On ne savait pas exactement si les gens étaient en train de sortir ou de rentrer chez eux. Un type m'a heurté l'épaule et s'est excusé d'un « Oh, I'm sorry » en me tapotant amicalement l'autre épaule comme pour s'assurer que je tenais encore bien debout avant d'ajouter « Are you sure you're okay ? » Puis il s'est précipité vers la porte du bus 1 qui allait se refermer, juste là, devant l'arrêt du Kenko, où les bus déboulaient les uns après les autres, tous semblables au précédent, fatigués, l'air de dire, assez pour aujourd'hui, mais brinquebalant de plus belle – le parc ne devait pas avoir été renouvelé depuis des lustres, ainsi était-il possible de brinquebaler une existence entière. Des bus à impériale évidemment, la mine londonienne, bien rougeauds, dans lesquels on était si secoué qu'on y réfléchissait à deux fois avant de grimper en marche sur la plate-forme ou d'en redescendre.

Cet arrêt de bus était un lieu de rendez-vous aussi solide, aussi doté de bon sens que Harry lui-même. Je n'étais d'ailleurs pas seul à patienter.

Quand une personne laissait filer le 1 puis le 3, on pouvait se risquer à conclure qu'elle attendait quelqu'un qui surgirait soudain sur une bécane en donnant un brusque et grinçant coup de frein, façon de ponctuer son arrivée en provoquant chez l'autre un sursaut de surprise, une exclamation – « God, that's you! I didn't see you coming! Ah, c'est toi! Je ne t'ai pas vu venir! », tandis que l'arrivant s'excuserait d'un « Hi! I hope you haven't been waiting too long for me? Salut! j'espère que tu ne m'as pas attendu trop longtemps? » Ou alors ce serait une voiture qui stopperait – même si ces lignes réservées aux bus ne s'y prêtaient guère. Harry, s'il avait eu une voiture, n'aurait jamais fixé rendez-vous ici. Pourtant, certains ne s'en privaient pas. Par exemple, j'étais sûr que cette fille, là-bas, n'attendait ni bus ni bicyclette. Bien trop jolie, et trop bien habillée pour ça. J'avais déjà repéré ce genre de filles. Elles attendaient toujours des Aston Martin ou des coupés Alfa Romeo: la portière s'ouvrait devant elles sans qu'elles aient à bouger le petit doigt, il leur suffisait de patienter, froides et figées comme de jeunes Vénus de Praxitèle, le temps que le type ait contourné la voiture.

J'ai aperçu Harry qui arrivait d'un côté et Barbara de l'autre – j'ai compris que c'était sa copine Barbara parce qu'elle lui avait adressé un petit signe de la main. Tout s'est alors passé très vite, comme dans *Règlement de comptes à OK Corral.* Harry et Barbara convergeaient vers moi – Barbara avec un insensible décalage d'un demi-centième de seconde sur Harry, puisqu'elle ne me connaissait pas. J'ai entendu Harry faire les présentations et j'ai senti en même temps que nous n'étions plus trois mais quatre. La fille qui attendait une Aston Martin nous avait rejoints.

– I'd like you to meet Chris, disait Harry.
– I'm Maybelene, disait la fille.
C'était moi qu'elle attendait.

12

Le lendemain matin, avant même le breakfast, Mrs Smith m'a pris à part et m'a dit « Chris, you know you can't bring girls in your room after midnight ? » Elle avait adressé la même remarque à Harry quelques minutes auparavant – je le voyais là-bas, à la table de la cuisine, bien rasé, le teint frais malgré la demi-bouteille de whisky ingurgitée la veille, se versant du café, se régalant avec la plus parfaite insouciance de petites saucisses et d'œufs brouillés, content d'avoir assuré à Mrs Smith que cela ne se reproduirait plus. « Harry made me excuses, you know, Chris. » J'ai essayé de rétorquer « Well, you know, I'm sure we didn't make any noise, we really didn't… they stayed no more than half an hour… Mais nous n'avons vraiment fait aucun bruit, elles sont à peine restées une demi-heure ! » Elle m'a coupé en haussant la voix. « Promise me,

Chris, that this will never happen again. »
Promettez-moi, Chris, plus de filles dans les
chambres après minuit, jamais ! Sinon elle ne
pourrait continuer à me garder comme locataire. C'était un bout de phrase de trop. Mais
bienvenu. J'ai dit, je monte faire mes bagages. Elle
m'a rattrapé dans l'escalier, j'ai dit « Non, je
m'en vais ». Je venais de comprendre le plaisir, la
nécessité qu'il y a parfois à s'en aller.

13

Sitôt les présentations faites, nous avions pris la direction du Dorothy, la seule boîte de nuit qui nous semblait douée d'existence en cette ville. Harry et Barbara marchaient devant, Maybelene et moi suivions sur le trottoir étroit. Elle portait des jeans de velours bleu à côtes fines et serrées et un pull jaune canari ; autour du cou elle avait noué un foulard bleu et blanc. Un peigne retenait la masse de ses cheveux châtains, les empêchait de se déverser sur ses épaules ; ainsi aiguillés dans son dos, ils retombaient juste au creux des reins, peut-être un peu plus haut. Ses yeux étaient dorés. Elle avait mis une très légère touche de rouge à lèvres. Elle s'exprimait en français avec un rien d'accent étranger, mais, de toute façon, il fut aussitôt décidé que nous parlerions anglais.

Le plus évident pour moi, à cet instant, c'était que j'avais, marchant à mes côtés, une fille intelligente – ce que son front haut, délicatement bombé et bruni, me disait aussi. J'aimais beaucoup son front, je voyais que, jeune et lumineux comme il était, c'était un front qui réfléchissait. Je me demandais si ce genre de filles intelligentes étaient bien les mêmes que celles qui attendaient des Aston Martin. Elle me dit qu'à la rentrée universitaire, dans quelques mois, elle entamerait des études de droit.

– De droit !

Elle crut deviner une réticence.

– Do you mean that I... Je ne devrais pas ? C'est pas une bonne idée ?

– Oh, no ! C'est pas ça, c'est juste que les gens qui étudient le droit me sont incompréhensibles.

Elle a bredouillé quelque chose à la manière de Diane Keaton dans les films de Woody Allen des années plus tard, et j'ai compris que le droit, c'était bien une possibilité, mais pas si sûre que ça, qu'elle hésitait   elle était aussi tentée par la biologie, les sciences naturelles, la philosophie, voilà qui devenait un peu plus intéressant.

Après le Dorothy, elles avaient accepté de venir prendre un dernier verre dans la chambre de Harry. On avait tout doucement fait tourner la grosse clé de la porte d'entrée et gravi l'escalier à pas feutrés pour ne pas réveiller Mr et Mrs Smith – je me souvenais d'Eddie Cochran chantant « Twenty Flight Rock », l'histoire d'un type qui grimpe le cœur battant vingt étages à folle allure afin de rejoindre la fille de ses rêves et qui, parvenu tout en haut, est bien trop essouf-flé pour passer à la suite : « *getting to the top, I'm too tired to rock* ». Et maintenant, on était là tous les quatre à parler de rien et de tout, assis par terre sur un étroit tapis ; dans un coin stationnait une chaise esseulée qu'il aurait été inconvenant de déranger. Notre hôte avait allumé une bougie à même le parquet pour créer une ambiance et il sifflait son whisky après nous avoir mis du thé à chauffer.

14

Mr et Mrs Jarman, mes nouveaux hôtes, avaient le mérite d'être des gens âgés et charmants. Mr Jarman était un revenant de la guerre de 14-18, « I was eighteen at that time » (l'âge que j'avais à cet instant), ses pieds avaient gelé dans les tranchées, il avait combattu à Verdun. Mrs Jarman me demandait gentiment si je voulais un café, avec du lait et peut-être quelques cookies. Je n'avais encore jamais rencontré de gens ayant fait la guerre de 14-18, des gens comme cela n'existaient plus, croyais-je ; déjà celle de 39-45 était bien loin, une sorte de matériau pour des films découverts à douze ans, *Aventures en Birmanie*, *Le Pont de la rivière Kwaï*. Les seuls échos de la guerre de 14, pour moi, c'était la lecture du *Diable au corps* et le film *À l'ouest rien de nouveau*, tiré du roman de Remarque, que j'avais vu à seize ans, un dimanche après-midi, avec un copain qui se prenait pour James Dean et que rien n'émouvait. J'étais sorti de la salle traumatisé : je n'avais jamais vu un film aussi éprouvant.

Et là, j'avais Mr Jarman, « a very very old man », sous les yeux ; instantanément, je ressentais beaucoup de respect pour lui, pour ce protagoniste en chair et en os, et je me promis de le faire causer, bravant cette difficulté : l'incessant grondement des tirs de canons, quatre ans durant, l'avait rendu sourd comme un pot.

15

Je n'avais pas seulement changé de *landlord* et de *landlady*. Dès le surlendemain, lundi, neuf heures du mat, je suivais les mêmes cours que Maybelene, assise tout au fond de la salle. On allait s'intéresser à l'œuvre de Joseph Conrad et plus particulièrement à l'une de ses nouvelles, *Youth*. Maybelene se tenait sur le banc juste derrière moi, en jupe bleu marine et chemisier d'un bleu plus clair, avec son foulard bleu et blanc noué autour du cou, les cheveux ajustés par son diadème. Elle m'avait vu arriver avec un rien de surprise, je m'étais glissé à cette place libre devant elle, en lui adressant un petit signe de la main et un sourire, l'air de dire, Joseph Conrad, *Youth*, tout cela me va très bien. Mr Wright avait déjà entamé son cours. Seuls Maybelene et moi profitions des flaques de soleil qui, par une baie vitrée, tombaient sur nos tables de bois.

Mr Wright, qui, il n'avait pas manqué de le souligner, était lui-même l'auteur d'un livre sur l'art de l'autostop et du *travel writing* – il allait bientôt nous en faire lire quelques fragments avec une visible satisfaction –, s'était arrêté aux trois premières pages du récit de Conrad, un auteur que je ne connaissais pas encore mais dont, affirmait ce jour Mr Wright, l'œuvre était redécouverte dans sa pleine envergure. Ce que d'ailleurs il ne s'expliquait pas très bien.

– Well, I think Conrad… well, his style… is rather pompous, don't you think? enfin… son style est… pompeux, non?

À moi, ce texte de Conrad me parlait terriblement: j'y lisais la vie que j'avais devant moi. Celle que j'ai connue plus tard, bien plus tard, sans même l'apprécier, quand la chance a fait semblant de se mettre de mon côté et que

Cambridge m'a fui. *Jeunesse* me parlait de moi-même. Je n'avais jamais senti dans aucun livre un tel enthousiasme juvénile pour la vie. À Conrad, c'était la mer qui importait, beaucoup plus que l'écriture, et cela depuis le début – fasciné qu'il était par l'appel de l'Orient, sûr que quelque chose de miraculeux et d'indéfinissable l'attendait là-bas, l'accomplissement d'on ne sait quel rêve. La littérature, pour belle et nécessaire qu'elle fût, ne venait qu'ensuite. Conrad m'emportait comme aucun écrivain à cette époque-là.

Et Maybelene ? Je me suis retourné, elle lisait encore. Elle me l'a dit plus tard, elle aussi était alors enlevée comme une Sabine par ces simples mots : The Far East ! The Far East ! Ces mots pour dire l'Extrême-Orient sonnaient tellement mieux que tout autre, dans n'importe quelle langue. The Far East ! The Far East fut vite pour nous ce point ultime où devaient converger toutes nos aspirations, le symbole de notre foi en la vie et en notre propre existence. Chaque fois que nos conversations prenaient un tour qui, en quoi que ce fût, répondait à l'appel de la vie, l'expression « The Far East » naissait sur nos lèvres. C'était un sésame et une plaisanterie, un mot clé, un mot d'intelligence, même si parfois elle se moquait… The Far East !

17

Derrière nous, une porte-fenêtre ouvrait sur un jardin, où l'on sortait pendant la pause. Mr Wright y a vite improvisé de petits apéritifs, débouchant pour ses étudiants une ou deux bouteilles de blanc méridional, quand *noon* s'annonçait. Nous approchions la littérature anglaise avec art et délicatesse. Lors du premier apéro, Maybelene et moi avions parlé littérature française, c'était Julien Sorel qu'elle aimait, alors que je ne l'aimais pas du tout, et cette discussion aussi finit en sujet de plaisanterie parce que justement elle me trouvait un peu Julien Sorel. Elle l'aimait pour sa volonté et son énergie ; moi, je lui préférais de loin son exact contraire, le Frédéric de *L'Éducation sentimentale*, qu'elle n'avait pas lue. Elle aimait aussi les gens capables de « voir les choses du point de vue de Sirius » – ce qui n'était guère mon cas et l'éloi-

gnait de moi bien plus que n'importe quelle
étoile.

Quand les cours s'achevaient, le bâtiment se
vidait d'un coup, tous les élèves s'égaillaient, et,
si petite que fût la ville, on ne pouvait être tout
à fait sûr que le hasard des rencontres nous servi-
rait. Des après-midi entières, on pouvait passer
en l'un ou l'autre point de ce petit théâtre, dans
le dédale des ruelles et des colleges, franchir les
minuscules ponts sur la Cam à seulement
quelques secondes d'intervalle, sans jamais se
croiser.

18

Alors que nous descendions ensemble jusqu'au centre-ville à pied, j'ai demandé à Maybelene si elle pensait que ça allait, comme ça, notre façon de parler tous les deux. Elle estimait que cela se passait bien, que converser avec moi était facile. Moi, je lui ai confié qu'elle ne savait pas comment ça fonctionnait, là, sous mon crâne, quels efforts je faisais pour que notre conversation le soit, facile. « Really you don't know how hard… » Elle s'est mise à rire avec des yeux qui pétillaient, et un terrible coup de klaxon nous a surpris hors du passage pour piétons. Quand nous sommes enfin parvenus au Copper Kettle, après être revenus deux fois sur nos pas parce que nous avions fait fausse route, je me suis dit, bon Dieu, elle est prête à me suivre partout. Elle se laissait mener, elle me faisait confiance, personne ne s'en était jusqu'ici tant remis à moi.

Une fois poussée la porte du Copper Kettle, nous notions à peine qu'il n'y avait pas une seule table de libre, c'était 1 p.m. et, tout en poursuivant notre conversation, nous grimpions les marches qui conduisaient à l'étage, à la recherche d'une place; comme il n'y en avait pas plus, nous redescendions sans même relever le fait, perdus, complètement absorbés par un raisonnement qui nous paraissait capital, tous deux entièrement liés par sa poursuite, on disait que ce n'était pas pareil, qu'il ne fallait pas confondre, on parlait du rapport entre les mots et la pensée, on posait l'hypothèse des sourds-muets aveugles en tirant à nous les chaises d'une petite table qui venait juste de se libérer près de la fenêtre donnant sur King's College – toujours le même choc quand j'avais devant les yeux le spectacle de cette imposante enceinte –, et nous commandions deux *Russian teas*, ça aussi ce serait bientôt un rituel, puis nous nous relevions pour choisir au comptoir une ou deux *pastries* – cet endroit était une sorte de pâtisserie bondée d'étudiants –, elle répondait que non, vraiment pas, elle n'avait pas du tout remarqué dans les premiers jours où nous nous étions rencontrés que j'étais parfois ironique, c'était si peu sensible qu'elle ne s'en était pas aperçue, elle prenait tout ce que je disais pour argent comptant, elle croyait que j'étais tout à fait sérieux – « You looked so sure » –, j'avais l'air si sûr de ce que je disais, mais maintenant, oui, elle commençait à le sentir un peu mieux, un tout petit peu mieux, alors que moi il me semblait faire sans cesse preuve d'humour, mais d'un humour, il est vrai, si volontairement imperceptible qu'il était comme inexistant.

19

Sakai était toujours en costume cravate, chemise blanche, très sérieux, pas très grand, mais massif, imposant, tout d'un bloc. Ce camarade de cours m'épatait quand, à dix-neuf ans, il affirmait sans un vacillement, avec le plus parfait aplomb que, sitôt retourné au Japon, il y fonderait sa propre entreprise et qu'elle porterait son nom. Il n'imaginait pas qu'on puisse attribuer un sens différent à sa vie, et lorsqu'au détour de la conversation j'avouais ne pas nourrir de telles ambitions, il me regardait avec dédain. Je ne doute pas qu'il ait réussi à l'heure actuelle : on finit toujours par atteindre les objectifs qu'on se fixe – enfin, ce genre d'objectifs. Un après-midi, avec Maybelene et lui, je m'étais embarqué sur un *punt*, l'une de ces barques plates proposées au prix d'une livre ou deux sur les *riverbanks*.

On louait des punts en deux endroits. L'un
était The Anchor, un attirant petit pub, au bout
d'un pont si discret qu'on le franchissait toujours
sans s'en apercevoir ; l'étage inférieur et sa courte
terrasse de bois donnaient de plain-pied sur la
Cam, l'ensemble prenait l'allure d'un mini-port
pirate : la multitude d'esquifs formait là une
manière de ponton qui se défaisait parfois bizarrement quand l'un d'eux s'écartait à la façon
d'un alligator quittant ses congénères pour gagner
le large en douce.

Ici et là, sur la surface liquide, telles de malen-
contreuses touches de couleur sur une toile
impressionniste, des silhouettes s'agitaient, se
démenaient, esquissaient des gestes aléatoires et
risqués, étaient amenées à adopter des postures
incertaines, fantasques et parfaitement superflues
quand on songeait que la beauté, la tranquillité
des lieux se suffisaient à elles-mêmes depuis des
siècles. Nous aussi, nous avions décidé de jouer
les navigateurs intempestifs, Sakai et moi, avec
Maybelene pour passagère.

Sakai s'était d'emblée posé en maître d'œuvre.
Capitaine ? Matelot ? Moussaillon ? Commandant ?
Ça n'était pas clair : dressé à l'arrière du punt,
extirpant la longue perche hors de l'eau, l'arra-
chant à la vase, l'y replongeant, propulsant le

bateau, il suait et soufflait. Il avait fini par retirer sa veste et rouler les manches de sa chemise blanche bientôt trempée de sueur. J'avais plusieurs fois proposé de le relayer, il n'avait rien voulu entendre : « No way ! » Allongés au fond de la barque, nous le regardions souffrir, Maybelene et moi, unis dans une commune compassion, oui, forcément rapprochés par le spectacle éprouvant que Sakai nous imposait. Depuis quelques jours, les dieux, c'était manifeste, s'étaient aperçus de mon existence et veillaient sur moi.

Suliman, lui, venait d'Arabie Saoudite. Maybelene le dépassait d'une tête. Il avait le visage sombre et émacié, la peau trouée. Elle et lui s'embarquaient parfois dans d'interminables discussions à propos des droits des Palestiniens – la guerre des Six Jours était encore dans les esprits. Et je voyais bien que cette passion politique les entraînait parfois très loin de moi. Un après-midi, Suliman m'invita chez lui : « Why don't you come and have a drink at my place ? » Sa jeune landlady, une rousse de vingt-quatre ans qui n'était pas mariée mais qui avait déjà fait cinq gosses avec cinq hommes différents, portait une minijupe affolante même selon les critères du temps, dévoilant jusqu'au triangle blanc du slip de longues cuisses orangées marquées par deux ou trois bleus. Elle nous avait rejoints un quart d'heure après notre arrivée dans le living pour un *drink*, en nous présentant son nouveau petit ami – « This is Jack » –, un type de vingt-sept ans qui en avait passé six autour du globe comme fusilier d'infanterie dans la Royal Navy. Quand on lui demandait ce qu'il faisait présentement, il répondait sans ciller « burglar », cambrioleur, et profitait de la question pour vous proposer un faux permis de travail et des pastilles de LSD.

Avec Suliman, le choc des cultures ne manquait pas d'être cocasse. Les yeux exorbités à l'idée d'une telle énormité, il m'avait une fois demandé si, réellement, les chrétiens croyaient que l'Enfant Jésus pouvait être né d'une Immaculée Conception ! Il le disait comme si, devant le reste du monde, j'étais personnellement responsable d'une pareille incongruité : « You really mean that she… The Virgin… » Je lui avais fait comprendre qu'il ne fallait pas compter sur moi pour jouer l'avocat de la défense. Grâce à lui, en riant, j'avais le sentiment très vif de prendre la mesure de plus d'une aberration occidentale.

Une autre fois, au sortir des cours, il proposa à Maybelene de se joindre à nous, pour qu'il puisse nous donner un aperçu de l'*Arabian hospitality*, c'est ainsi qu'il présentait la chose. « You'll see what Arabian hospitality is. » Sur un réchaud de fortune dans sa chambrette, il nous fit chauffer un lunch et remplit nos verres de Martini comme si ça avait été du sirop de grenadine. Nous parlions toujours de la guerre des Six Jours. Suliman remontait très haut dans l'histoire, jusqu'à Caïn et Abel, pour expliquer que Juifs et Arabes étaient frères de sang. Il nous parlait des richesses pétrolières de son pays, évoquait son peuple. Maybelene l'écoutait avec une attention dont je pouvais suivre seconde après seconde les variations sur son visage, et elle le relançait tout en piquant avec ses doigts dans les plats – boulettes de viande, sauces diverses, dattes – répartis dans des assiettes de carton posées sur la moquette où nous nous tenions assis, moi en tailleur, elle les talons ramenés contre les cuisses – elle portait une jupe noire ce jour-là – et Suliman accroupi, nous faisant face. Je sirotais mon grand verre de Martini, tout occupé à parfaire mon éducation politique, avec au fond du cœur, je devais bien l'admettre, un petit démon qui me tiraillait. Pendant que tous deux s'animaient, je me souvenais d'un voilier miniature à la coque de bois que mon père avait un jour lancé sur la surface égale d'un bassin, or une brise imprévue avait subitement gonflé sa voile : le voilier s'était mis à filer sur l'eau sans crier gare et moi, qui n'avais que trois ou quatre ans, j'avais eu très peur qu'il ne parte très loin, qu'il ne s'échappe pour toujours, ce « magnifique voilier », disait mon père, son propre voilier d'enfant dont il avait la veille soigneusement repeint en blanc la coque de bois plein, traçant avec un fin pinceau le mince trait rouge de la ligne de flottaison parce que, ce dimanche matin, il allait se rendre au parc avec son fils et qu'il l'aimait.

20

Le lendemain, j'ai proposé à Maybelene – c'était la première fois que je l'invitais – d'aller dans la soirée au cinéma. Elle eut l'air embarrassée. Suliman venait de l'inviter à voir le même film. Un instant, en moi, non pas la morsure de la jalousie, mais un sentiment de tristesse, jusqu'à ce que j'entende la fin de sa phrase : « But I said no. » Et le problème, c'était que si elle me disait oui, elle aurait le sentiment de ne pas être fair-play, pas juste à l'égard de Suliman… J'ai pensé qu'on ne rencontrait pas une fille pareille à tous les coins de rue.

21

J'ai bien dû attendre deux jours, oui, deux ou trois jours, avant d'oser lui reposer la question.

– Le problème, m'a-t-elle dit malicieusement, c'est que justement ce matin Suliman...

Je l'ai coupée net.

– C'est le dernier soir où le film passe, demain changement de programme. It's now or never.

Elle a dit oui.

22

Je me souviens à peine du film, mais surtout de sa présence délicate près de moi. Il avait un peu plu ce jour-là, elle avait ressorti un vieil imper que je n'aimais pas, parce qu'il avait fait son temps et que sa grisaille l'éloignait de moi, mais quand elle l'a ôté pour s'installer à mon côté dans la rangée de fauteuils, j'ai remarqué qu'elle portait un pull bleu clair sur lequel, à la hauteur des épaules, elle a répandu de la main ses cheveux. Je ne savais pas encore que je l'aimais et, quant à elle, elle n'avait fait que répondre à mon invitation. C'était *The Face, Le Visage*, de Bergman, qu'on était venus voir. J'ai beau chercher dans ma mémoire, à cet instant où j'écris, je n'ai de ce film aucun souvenir précis. Peut-être était-ce son visage à elle que je préférais regarder à la dérobée, la douceur délicate de son profil et de ses traits qu'éclairait la lumière indirecte qui nous revenait de l'écran.

Ensuite, nous vîmes *Mikrès Afrodïtès*, *Les Petites Aphrodites*, un chef-d'œuvre du cinéma grec dont j'ai oublié le nom du réalisateur, et qui n'est plus jamais passé nulle part.

Le film était en noir et blanc, je crois. Je me rappelle la limpidité des eaux de la mer Égée, un paysage de roches et une jeune sauvageonne à demi vêtue, infiniment belle dans la lumière de l'air marin, portant sur elle, jeté comme un voile, un léger treillis semblable à un filet de pêche et à travers les mailles duquel les seins commençaient à pointer. Était-ce dans l'anfractuosité d'une roche ou la pénombre d'une cabane de pêcheur ? La fillette surprenait sa mère de vingt-huit ou trente ans, les cuisses luisantes et cuivrées — le plan ne montrait qu'elles, comme dans un tableau de Modigliani — enserrant dans leur plaisir le corps d'un amant qui restait, pour nous spectateurs, invisible. Que le mouvement de ses cuisses en la soulevant donnât à lui seul l'idée de l'orgasme était d'une terrible force et d'un mystère total.

Pendant tout ce temps, le cœur nous battait, surtout parce qu'on savait qu'elle aussi, la petite sauvageonne, voyait ce qu'on voyait. Maybelene et moi étions restés absolument muets, pas un souffle, et quand nous nous étions retrouvés à l'air libre, pas un mot sur cette scène-là ; mais chacun y pensait, l'empreinte était encore là, dans les battements de nos cœurs.

23

Même s'il me l'avait probablement raconté, je ne sais plus du tout comment Harry avait connu Barbara – quand je me replonge dans cette époque, je m'aperçois qu'il y a quantité de détails, de péripéties, de moments précieux qui ont disparu de ma mémoire, perdus à jamais; chaque fois que j'en prends conscience, j'en ai le cœur serré: nos vies, nous ne le savons pas assez, sont pleines de minuscules instants qui en ont fait tout le prix, qui le font sans doute toujours et qui pourraient le faire encore. Leur oubli définitif n'est même pas de l'oubli, c'est un anéantissement. Quand certains de ces moments engloutis, comme par miracle, reviennent en pleine lumière, c'est un éblouissement qui fait mal: on comprend que tout nous a échappé et que tout nous échappe sans cesse, on comprend qu'on est peut-être passé et que l'on continue de passer à côté de la vie et de soi-même.

Un soir – c'était l'anniversaire de Harry, Barbara venait de nous l'apprendre en déboulant au Kenko –, nous sommes passés le féliciter Lensfield Road. Il prenait incongrûment un bain, et nous sommes repartis l'attendre au Criterion, un pub dans une ruelle près de Green Street, toujours bourré à craquer, qui jetait à l'extérieur d'excitantes lueurs, et où il y avait ce soir-là Simon, Madeleine, Marina, Dominique, toute une équipe ralliée pour la circonstance – seule Maybelene n'était pas là, je ne me souviens plus pourquoi. Nous avons commandé du champagne, de la bière, de la vodka et d'autres alcools au gré de l'esprit d'invention qui animait chacun. Quand Harry est arrivé, rasé de près, tout rose et bien pomponné, la mine excellente et ravie, il a presque ployé sous les congratulations. Je le revois : heureux à cet instant comme je parierais qu'il ne l'a plus jamais été. Barbara avait des yeux de tigresse, mais feignait l'étonnement quand on le lui disait. Elle avait dix-sept ans, des cheveux longs, bruns et soyeux et, ça n'était peut-être qu'une apparence, donnait l'impression d'être très sûre d'elle ; Harry était forcément Taureau et Dominique voulut connaître le signe astrologique de chacun – lieux communs qu'on échange à cet âge et qui sont là pour ça : pour que circulent entre nous ces rires et ces éclats, ces instants de juvénile gratuité, quand personne ne fait trop attention à ce qu'il dit, mais que tout le monde souhaite que la vie soit pour quelques heures une fête sans remords. Simon était Bélier, Marina Verseau, et Barbara annonça qu'elle était Scorpion. Comment s'entendaient le Scorpion et la Balance ?

Après le Criterion, toute la bande est allée manger dans un restaurant indien, une quinzaine de personnes assises autour d'une longue table à la nappe tachée où roulaient encore quelques grains de riz – d'autres nous avaient précédés mais nous avions maintenant la petite salle du premier étage entièrement pour nous. Plus tard, Barbara et moi avons filé dans Regent Street comme diamants rayant une vitre. Nous avions trop bu, bien sûr. Ou peut-être que nous faisions semblant. Oui, je crois que Barbara faisait semblant – aujourd'hui encore, rien que pour cela, j'éprouve pour elle plein de tendresse –, Barbara savait qu'il faut parfois solliciter la vie, lui jouer des tours, tromper un peu la réalité, parce qu'à ce prix seulement elle nous restitue un peu de ce qu'elle nous doit. Elle nous manifeste sa gratitude de la faire un peu exister, elle, la vie. Elle nous sait gré d'entretenir à son sujet quelques illu-

sions. Par intervalles, pendant c
la jeune fille laissait tombe
épaule et j'enfouissais un c
visage dans ses cheveux. Ell
moi et riait pour rien. La nui
et c'était d'autant plus doux
Sur Market Place, plus aucun
ner chez elle – mais la quête c
la nuit » fit encore un mom
Celui-ci rentré au bercail dep
nuit redevenait entièrement p

loi
ne
ser
d'c
qu
fer
la
on
Ba
fro
le
co
m
c'é
pc
se
av

24

The Holy Sepulcre est une vieille église non
de la place du marché, entourée d'un jardi-
clôturé de fer. Le portail battait. Le gravier du
tier a crissé sous nos pas, nous étions cernés
bscurs buissons taillés en arrondis. Et pendant
nous faisions par l'extérieur le tour de l'église
mée – oh, nous avions bien essayé d'actionner
ourde poignée torsadée, en vain! –, cherchant
ne sait quoi, une niche, un abri, un terrier,
rbara est devenue comme un petit animal,
ttant son visage et son corps doucement contre
mien. Je sentais son nez et ses lèvres passer
tre ma joue, remonter vers mes paupières et
n front et je lui rendais son mouvement,
tait plein de petites pressions: lèvres, bouches,
itrines, bassins se touchaient, s'effleuraient,
cheveux filaient entre mes doigts et nous
ons tout le temps – un temps infini devant

nous qu'on ne se lassait pas de retenir, d'explorer, d'étendre, de faire durer. Nous ne nous étions même pas encore embrassés, cette certitude-là était pour plus tard. C'était simplement la découverte lente de l'un par l'autre, la douceur de furtives caresses à côté desquelles la présence du clocher, de la nef et de la sacristie ne faisait pas le poids : nous avions la vérité entre nos mains, sur nos lèvres. Pas d'autre éternité que la saveur de ces instants. Nous avons buté sur un banc de bois à demi dissimulé sous l'un des buissons. Il y a sans doute eu des murmures échappés de ses lèvres quand j'ai glissé ma main sous son chemisier, libéré sa poitrine ; elle était couchée en travers de mes genoux, les reins creusés, le buste soulevé, les cheveux répandus sur le banc, le visage tourné vers le ciel. J'ai passé la nuit à caresser son corps, à faire durcir ses seins et à éprouver l'étrangeté de sa bouche. « Mais est-ce que tu sais ce qu'on fait ? Mais est-ce que tu m'aimes ? » disait-elle, comme le disaient parfois les jeunes filles de cette époque.

25

Barbara nous attendait seule à une table du Kenko devant un thé citron et a souri en nous voyant passer la porte d'entrée. Deux cernes très légers assombrissaient son visage comme une touche de mascara. « Hello ! – Hi ! » On s'est salués comme si de rien n'était, deux parfaits étrangers, à croire qu'elle et moi avions perdu la mémoire ; d'ailleurs – à peine si j'étais là – les deux filles s'étaient lancées dans une conversation passionnée qui paraissait ne pouvoir être repoussée à plus tard et dont, puisqu'elles parlaient dans leur langue, il m'était difficile de deviner le sujet. Ni même de savoir si Maybelene lui avait demandé, « Hé ! comment c'était, hier soir, l'anniversaire de Harry ? War es schön ? » – et alors, avec légèreté, Barbara avait dû régler d'un mot son compte à toute la soirée d'hier sans s'attarder. Jugeait-elle que cette nuit-là avait été une erreur – la tendresse entre deux êtres peut-elle jamais être une erreur? L'une et l'autre étaient d'humeur si joyeuse que j'en étais un peu inquiet. Barbara s'imaginait-elle que tout allait finir par un chassé-croisé, comme dans une comédie de Marivaux? Prenait-elle mon propre silence pour un gage, un secret entre nous dont, à cet instant, rien ne devait filtrer devant Maybelene?

26

Quand j'étais dans ma chambre, j'écoutais *Top of the pops* sur un minuscule transistor que mon père m'avait acheté sept ans plus tôt dans un grand magasin de la ville – il avait lu dans le journal que ce matin-là on y solderait deux cents de ces appareils à un prix ridiculement bas et, dès l'aube, levés plus tôt que d'habitude, mon papa et moi – je le trouvais déjà bien vieux, pourtant il avait l'âge que j'ai aujourd'hui – avions rejoint une foule en émeute devant les portes du Grand Passage, juste avant l'ouverture – en 1961, un mini-transistor, c'était quelque chose! Tout le monde ne possédait pas son petit poste de radio portatif. « Voilà une superbe occasion », avait décrété mon père – et comme le stock était limité, il avait fallu se bagarrer dur, mon papa s'était battu pour le petit garçon que j'étais, naviguant au cœur de la foule, jouant des coudes, battant des bras, fendant tant et si bien cette terrifiante marée que, porté par la vague, par une brusque coulée, il avait atteint le comptoir où suffoquaient deux vendeurs affolés, brandi jusque sous leur nez un billet par-dessus la tempête et le délire, réceptionné entre ses mains une minuscule boîte grise et rectangulaire d'où, un peu plus tard, de retour à la maison, on avait extrait le précieux transistor, ondes longues et moyennes, puis fait coulisser la petite antenne – effroi devant tant de délicatesse, et si tout à coup elle allait se briser net, là, sous nos yeux, cette antenne qui pointait vers on ne savait quoi. Tant de fragilité renvoyait au fil ténu auquel semblaient tenir nos vies elles-mêmes dans ces années-là. Tout alors me paraissait si fragile. Le goût de la vie. Un baiser. Tel ce baiser que j'avais vu au cinéma – de tous les baisers de cinéma, c'est celui que je me rappelle le plus parfaitement –, quand on se régalait des films usés comme la pluie qui passaient au Voltaire, bondé des gosses du quartier les après-midi du jeudi et du samedi. De tous les baisers langoureux et gênants qu'échangeaient héros et héroïnes sur l'écran, il était celui qui avait le plus frappé mon imagination, où il est resté pour toujours incrusté. Ce baiser, je ne l'ai jamais revu – souvent j'ai

71

espéré qu'il resurgirait au détour de l'un ou l'autre film au ciné-club ou au *Cinéma de minuit,* à cet instant de l'action où le héros, un cow-boy tout à fait classique, au pied d'un contrefort rocheux semé de quelques arbres, embrassait une fille à pleine bouche – l'amour de sa vie qu'enfin il retrouvait, après bien des péripéties, une très jolie fille western comme il existe de très jolies filles rock'n'roll, brune avec de beaux cheveux sombres –, de quoi hanter à l'avance toutes nos rêveries de pauvres gosses, de quoi alimenter en images tous nos rêves éveillés pour mille années à venir. Et il la retrouvait, ils s'embrassaient tous les deux, interminablement, c'était l'un des baisers de cinéma les plus sensuels que la petite salle, soudain muette, ait jamais contemplé. Une récompense suprême. Et puis, brutal, un coup de feu a claqué, un coup de revolver est parti de derrière un arbre, tireur invisible, un coup de feu inattendu et incompréhensible, si scandaleux qu'il fallait être Dieu pour en avoir eu l'audace. Le cow-boy s'est effondré lentement, ses lèvres, tous les gosses ont suivi des yeux ses lèvres qui quittaient celles de la belle, se détachaient des siennes, l'homme tournoyant sur lui-même, nous présentant maintenant son visage de face, et c'était alors qu'était venue s'imprimer sur nos rétines d'enfants l'image choc, la dernière image de ce tendre baiser interrompu : quand les deux bouches si intimement mêlées avaient cessé de n'en faire qu'une, s'étaient décollées l'une de l'autre, et que mystérieusement était apparue la langue du cow-boy, expulsée de la mignonne bouche de la fille, et qui se rétractait, refluait, s'enroulait douloureusement sur elle-même. Et nous avions tous compris ce qu'était la mort. Tant de fragilité renvoyait à nos attentes de ces jeudis et de ces samedis après-midi, avant le début du film, dans cette salle de quartier, si impatiente qu'elle était envahie d'un concert infernal de sifflets tel que plus tard je n'en entendrais de pareil qu'à l'occasion des tout premiers concerts rock, avec les Chaussettes noires ou Johnny Hallyday, dans un vieux théâtre aujourd'hui démoli. Accompagné de mon copain, celui qui avait *King Creole* d'Elvis, ayant carrément falsifié ma carte d'identité, loin d'avoir quinze ans, j'étais parvenu à entrer noyé dans la foule, le cœur battant, exhibant rapidement la pièce sous l'œil sévère de la sécurité, pour enfin trouver place au huitième ou neuvième rang, avec derrière nous des vagues de furie et de folie, et là-haut le poulailler débordant, si déchaîné qu'on ne

pouvait qu'en tomber, semblait-il — toute la
jeune violence des bandes de quartier, blousons
noirs qui avaient afflué des quatre coins de la ville.
Avant même que le concert de Johnny ait commencé, le vacarme, la clameur, les sifflets étaient
portés à un tel paroxysme que c'en était délicieusement insupportable, comme un intermi-
nable orgasme qui ne prendrait jamais vraiment
fin, le jet continu fusait, se poursuivait invraisem-
blablement. Plus tard, j'ai lu dans *Blanche ou
l'Oubli* comment Aragon lui-même, ayant assisté
à un concert de Johnny, dépeignait cette horde
insensée d'exubérance brute et juvénile, effrayante
et belle, jugeait aussi Elsa, libérée des entraves et
de tout le poids d'une civilisation qui s'était
échouée dans un atroce conflit mondial, puis
qui avait donné dans un sursaut d'énergie cette
prodigieuse génération de baby-boomers, dont
j'étais, et dont le rock'n'roll en ces années-là
commençait d'être le vrai drapeau. Quand
Johnny, rééditant devant nous la geste d'Elvis,
avait comme littéralement surgi de rien sur scène,
il n'avait alors que dix-neuf ans, auréolé de ses
cheveux blonds que la lumière des projecteurs
dématérialisait, le transformant lui et son costume
bleu lumière en demi-dieu, traduisant pour une
jeunesse révélée à elle-même tout ce que cette

musique cristallisait d'aspiration à vivre, il m'avait semblé être emporté loin de moi, méta-morphosé au cours d'un bref instant – les appa-ritions des « idoles » d'alors ne duraient qu'un éclair, elles ne dépassaient pas vingt minutes, et c'était juste le temps qu'il fallait pour qu'on soit électrisé par le son des guitares et le roulement meurtrier des baguettes sur les caisses claires. J'étais transfiguré, saisi d'un enthousiasme sur lequel je ne me suis jamais réellement interrogé et qui fut pourtant, pour l'ensemble des jeunes gens ce soir-là, dans cette salle, l'essence la plus pure et la plus concentrée de ce que pourrait être leur vie s'ils savaient par la suite distiller avec finesse cette formidable puissance, dont le rock'n'roll leur hurlait la présence en eux. Un poison aussi merveilleux qu'il pouvait être destructeur, Janis Joplin, Hendrix, Jim Morrison… Un élixir du diable quand on lui vendait un peu trop de son âme.

27

Vers minuit, alors que j'étais avec Simon et Barbara, nous sommes tombés Market Place sur Harry mêlé à la queue qui patientait devant le marchand ambulant de hot dogs – j'ai encore dans la narine une perception très exacte des effluves enchevêtrés qui se dégageaient alentour de sa roulotte, mélange de fades saucisses de Vienne bouillies, de hamburgers écrasés, d'oignons frits et de moutarde explosive, dont on arrivait tout de même à se faire un régal quand on passait par là en fin de soirée. Dernier locataire de Market Place s'affairant à l'abri de son havre à peine éclairé, ce marchand, un Indien, un Sikh peut-être, était pour nous un Robinson Crusoé de la nuit. Celle-ci était à nos yeux à peine entamée, et nous avons extrait du rang un Harry brièvement déconfit pour l'entraîner chez Tess. Harry d'abord ne voulait pas, disait qu'il ne connaissait pas cette « lady », et c'est vrai – je m'en apercevais subitement – que j'étais en train d'opérer une jonction imprévue entre des trajectoires parallèles. Sa gêne, sa perplexité paraissaient d'un coup à la mesure de sa stature, je n'ai jamais rencontré quelqu'un d'aussi fort que Harry pour montrer son embarras, il se lisait sur son visage entier, il contrastait avec ce bloc de puissance naturelle, on aurait dit Porthos soutenant tout l'embarras du monde avant de le laisser choir et se briser en mille morceaux pour nous emboîter le pas jusque chez Tess, qui n'habitait pas tout près.

Tess était une amie de Mike, une Américaine absolument énorme, obèse au point qu'elle refusait de quitter son logement, sauf si Mike lui donnait le bras pour descendre Regent Street, et c'étaient alors les plus beaux moments de sa vie. Deux ou trois fois, Mike m'avait emmené chez elle, *after hours*, en fin de soirée – Tess était le genre de personne chez qui l'on finit la nuit. L'ameublement de sa petite maison était résolument moderne, frappant par son originalité : lampes, tables, fauteuils et, perle d'entre les perles, une chaise Le Corbusier qui, quand on s'y asseyait, donnait le sentiment d'y gagner soi-même en force d'expression, et peut-être en art.

Ce soir-là, par chance, en plus d'amis à elle, en particulier un couple d'Américains avec leur bébé – « His name is Jack Andy » –, il y avait Mike que je n'avais pas revu depuis un bout de temps. Ses cheveux avaient à nouveau noirci – on aurait dit Mercutio tel qu'on l'imagine dans la pièce de Shakespeare, trop tôt tué et qui serait revenu à la vie plus jeune que jamais et très gai. Il était à moitié assis sur un canapé et tirait sur les cordes de sa vieille guitare, baignant toute la pièce de la musique qui brûlait en lui. Jack Andy gazouillait dans son berceau, Harry d'emblée avait endossé le rôle de baby-sitter et lui faisait risette. Simon et Barbara s'étaient arrangés à deux, comme ils pouvaient, sur la chaise Le Corbusier. Tess faisait et refaisait du café – « Another cup of coffee, Chris ? » Je me souviens des titres que Mike joua cette nuit-là (il disait « numbers ») : « Listen to that number ! » glissait-il quand il avait trouvé quelque chose, vraiment trouvé – c'était chez lui toujours de l'ordre de la trouvaille. Alors naissait sur son instrument une musique qu'on sentait s'élaborer à mesure sous ses doigts, même si elle s'était déjà esquissée en lui les jours précédents, ou peut-être dans l'après-midi s'il avait plu et qu'il était resté dans sa chambre – « What do you think ? Pretty good, isn't it ? » —, une musique qui vous saisissait d'un seul coup, prenante, délicate et amère, violente parfois, et qui appartient aujourd'hui à un registre disparu. Elle n'a existé que ce soir-là, dans cette pièce bien précise du *flat* de Tess, à Cambridge, où des trajectoires parallèles se rejoignaient un peu et où, à quatre heures du matin, pleins de musique, de douceur, de fatigue et de fumée, au moment de partir, on trouvait Harry inconfortablement endormi au bas de l'escalier, sur les deux dernières marches, avec le chien qui ronflait à ses pieds.

28

Le lendemain, tard dans l'après-midi, Barbara raconta cette nuit magnétique à Maybelene et il y avait du bouleversement dans sa voix, on voyait son visage s'animer et son corps vibrer, se redresser dans l'évocation, je pensais : chaque fois que quelqu'un écoute Mike, c'est ainsi, il en est changé, quelque chose bouge en lui comme par l'action d'un minuscule levier, d'un coin qu'on enlève, et alors c'est un vaisseau qui glisse sur la mer. Quelques notes de Mike étaient capables de faire basculer un édifice entier, d'anéantir tout ce en quoi on avait musicalement cru, donnaient à comprendre que rien n'était tel qu'on l'éprouvait ; chaque fois qu'il prenait sa guitare, Mike renversait l'univers, et on se disait qu'une humanité plus sensible, plus perceptive, une humanité neuve, plus unie, en rejaillirait peut-être. Je voyais que la vie de Barbara ne serait plus tout à fait la

même, désormais elle avait entendu Mike, pour
elle aussi la tonalité, la couleur de la réalité s'en
trouvaient transformées comme l'avait été le
living de Tess ce samedi soir – voilà ce que
j'admirais chez Mike, ce pouvoir qui devenait le
sien sitôt qu'une guitare était entre ses mains. Les
rythmes qui se formaient sous ses doigts, blues,
bossa-nova mais surtout ses rythmes propres,
ceux qu'il inventait lui-même et auxquels il aurait
fallu trouver un nom (nul ne le fera, où est Mike
aujourd'hui ?), frappaient tout l'être si immédiatement qu'on entrait d'un coup dans un
monde grave et de poétique mélancolie.

Chaque chanson, quoi qu'elle contînt de juvénile aspiration, laissait entendre, en un présage,
qu'elle ne serait qu'un chant perdu, l'écho indéfiniment répercuté de sa propre et seule musique.
Et la vie aussi était ainsi, indifférente, sourde à
tout questionnement, un absurde refrain. L'une
de ces chansons, d'une infinie tristesse, mettait en
scène un vieil homme – une sorte de Job – et un
corbeau qui partageaient une caverne. L'ermite
demandait souvent à l'oiseau son avis, confir-
mation de ses joies, de ses craintes, de ses terreurs,
de ses espoirs, et chaque fois le refrain du corbeau
tombait à l'identique, invariablement le même.
The old man demandait au corbeau s'il était

heureux avec lui, et l'oiseau lui répondait « Yes my friend, yes my friend ». Il lui demandait s'il allait pleuvoir, l'oiseau lui disait « Yes my friend, yes my friend », mais quand l'ermite levait les yeux, il découvrait un ciel vide de nuages. Au milieu de la nuit, un craquement du feu l'éveillait en sursaut, et plein d'effroi il murmurait « Dis-moi, corbeau, que tu ne m'abandonneras jamais », et l'oiseau le rassurait « Yes my friend, yes my friend ».

29

Quand j'attendais Maybelene après les cours et que le temps était à la pluie, je lui disais, j'attends ton « umbrella », ce qui était très impoli, mais masquait le désir que j'avais de descendre avec elle en ville, taisait le sentiment que j'avais pour elle tout en le lui laissant soupçonner.

Elle riait et me reprochait parfois d'être égoïste dans ma façon d'incliner l'objet, et lorsque je m'en défendais, elle insistait : « Mais si, tu es un égoïste ! » J'apprenais alors, en ses nuances, l'art de tenir convenablement un « umbrella » quand il se met à pleuviner, qu'on se dirige de Station Road vers le centre-ville, qu'il faut marcher ensemble sur un trottoir glissant tout en évitant, dépassant, contournant, croisant d'autres gens, et en soutenant une conversation à propos du mot « umbrella ». Je disais que je trouvais ce mot complètement paradoxal, et peut-être bien

à l'image du caractère anglais tout entier, puisque
« umbrella » suppose qu'on utilise la chose pour
se faire de l'ombre, donc qu'il devrait désigner un
accessoire destiné à se protéger du soleil. Tandis
que le mot français « parapluie » dit au moins
avec une rigueur cartésienne à quoi sert l'objet.
Maybelene soutenait l'argument contraire, mais
aujourd'hui je ne me souviens plus comment.
« Umbrella » était ainsi très précisément un mot
intermédiaire sous lequel nous nous abritions, un
mot dont nous débattions en ouvrant et en
déployant la chose, une sorte d'instrument extrêmement pratique qui, dans la discussion qu'il
suscitait, permettait à certains sentiments d'apparaître, les tamisant, leur laissant se faire jour,
mais pas tout à fait, nous en protégeant encore
pour un temps. Aujourd'hui, je me dis que la vie,
c'est très exactement ça, avoir l'occasion de discuter du bien-fondé de mots tels que « umbrella »
et « parapluie », en descendant une rue avec une
certaine personne, alors qu'une averse menace.

30

L'usage de l'anglais créait entre nous une relation tout à fait spéciale, cette langue nous inventait en même temps qu'elle inventait notre relation – rien de ce qui a suivi ne serait arrivé, peut-être, si tout cela n'avait passé d'abord par la langue anglaise, pleine de nos hésitations, trébuchements, maladresses, pleine aussi de l'humour qui lui est inhérent, de ce goût du *nonsense* et de toutes ces choses que nous a léguées le roman anglais – au point que je songe parfois que c'est vraiment cette langue qui m'a mis au monde une deuxième fois, et pour de bon.

31

Une idée qui nous paraissait essentielle, c'était celle d'« Entwurf » de soi. J'avais bien aimé quand Maybelene avait sorti ce mot allemand au moment où j'essayais de préciser ma pensée, elle était arrivée juste à point pour le substituer à « esquisse de soi ». « Entwurf » me semblait plus parlant, traduisait mieux l'idée d'élan, le fait de se projeter soi-même en avant ; « esquisse de soi » ne respirait pas le même dynamisme, n'avait pas le même caractère de décision, le même tranchant, était plus timoré et délicat. « Of course, you've got to look for happiness and not just wait for it », déclarait Maybelene. Ce qui était clair, c'est que dans les deux langues transparaissait l'idée qu'il fallait constamment parfaire et retoucher l'étude, le brouillon de soi que l'on composait en permanence, auquel on travaillait à chaque instant, y compris à cette minute où nous étions en train d'en discuter ; alors, on riait tous les deux, et j'essayais de lui dire que Mike – je lui avais beaucoup parlé de Mike, qu'elle avait à peine rencontré et dont j'avais peur qu'elle eût une mauvaise impression : sa cape noire, ses fausses dents et ses cheveux teints –, oui, que Mike était probablement parvenu assez loin dans cet art de l'esquisse de soi. À dix-huit ans, il était comme ces peintres ou ces écrivains qui, après des années de tâtonnements, sentent qu'ils ont absorbé tout d'une tradition, et qu'ils peuvent désormais aller seuls et librement, se jouer de leurs modèles, comme lui-même se jouait de la musique des Beatles.

32

Maybelene avait un truc pour gagner le centre-ville plus rapidement, mais il ne marchait pas toujours. Quand elle sortait de chez sa landlady, elle dévalait les quelques marches du perron, poussait le portail et souvent débouchait dans la rue juste au moment où le voisin – ainsi vont les horaires – manœuvrait sa voiture hors de son garage. L'arrêt de bus se trouvait en face, de l'autre côté de la route, et Maybelene lançait innocemment au brave autochtone « Do you know what time the next bus is ? » comptant bien qu'il ne la laisserait pas patienter une seconde devant l'abri désert, et l'inviterait sur-le-champ à monter dans sa teuf-teuf d'un « Oh, you're going downtown ? Well, I can drop you off if you want… », phrase rituelle à laquelle, très poliment, il réussissait toujours à donner une tonalité de surprise inédite. Mais parfois elle émergeait un rien trop tôt ou un rien trop tard, parfois aussi l'homme avait la mine trop sévère, trop absorbée pour qu'elle osât l'interpeller, ou tout simplement il déclinait « I'm sorry, I'm afraid I'm driving to Newmarket today… » Et seule à l'arrêt, comme une grande, elle attendait le bus.

33

À 8 p.m., quand je la retrouvai au Kenko,
elle s'était changée – changée pour moi, me
disais-je, et je n'avais pas tellement l'habitude de
cela – elle était une fille tout en noir, pull noir,
jupe noire, et elle était ainsi insupportablement
belle, comme un chat qui court le soir sur les toits
entre les cheminées, réveillant sur son passage
quelques dizaines de mythologies assoupies. En
l'apercevant, j'avais sûrement le désir immédiat
de la prendre dans mes bras, de la serrer contre
moi, sans pouvoir en rien faire, puisque entre elle
et moi il n'y avait justement rien – après tout,
qu'était-elle d'autre qu'une simple camarade de
cours? Qu'étions-nous sinon une paire d'amis qui
aimaient parler ensemble en revenant de l'école?
Ce noir sur elle avait le pouvoir de la rendre
instantanément désirable, il était comme un
appel, creusait tout son corps d'absence à

combler, il disait toute la force essentielle d'une silhouette. Seul éclat de couleur vive, un foulard de soie rouge et blanc qu'elle avait noué autour de son cou accusait encore cette noirceur, c'était très simple et d'un effet absolu. Les haut-parleurs diffusaient en sourdine « Rock Around the Clock » de Bill Haley, et j'avais peine à croire que cette mise en scène idéale fût pour moi.

Moi-même, j'avais fait un effort, et il fallait que je fusse bien désorienté par la perspective de cette soirée pour avoir mis une cravate, tout en sachant – elle l'a tout de suite remarqué en riant, « Look at that! » – qu'il manquait un bouton à la manche gauche de ma veste Carnaby Street, seul un bout de fil orphelin s'y entortillait lâchement. Ensuite, Dieu sait pourquoi, l'anglais ne fut pas de la sortie, comme si le français était cette fois plus approprié, allait permettre à chacun de coller davantage à soi ; ou plutôt, le français était une façon, je crois, d'essayer une autre approche entre nous, juste pour voir. C'est elle qui a payé les cafés, elle y tenait.

34

Du Folk Blues Club où je l'ai emmenée, je n'ai que deux souvenirs : les papiers chewing-gum, et l'ambiance qui régnait dans les folk blues clubs anglais, en ces années-là. Des baladins venus de lointaines contrées celtiques, d'Edimbourg, de Dublin ou des faubourgs de Londres y réinventaient la musique. Il suffisait d'une ou deux guitares sèches, d'un harmonica, d'un tambourin, et des voix fuselées comme celle de Joan Baez, plaintives comme celle de Bob Dylan, colorées comme celle de Donovan s'élevaient soudain dans le silence religieux de salles enfumées et bourrées à craquer ; amas de corps confondus et transfigurés qui flottaient entre deux mondes, près de léviter, soulevés, pressés les uns contre les autres, assis par terre là où le mouvement les avait portés, accroupis, agenouillés, le cou tendu, la tête bien droite dans une chaleur à défaillir. On comprenait que quelque part dans ces accords mêlés, dans cette musique, palpitait un espoir fou, et me revenaient bien sûr ces mots de Mike : « Music can be a great weapon. » À chaque chanson, at each new number, c'était une aube inattendue qui se levait, aussi soudainement que dans la dernière phrase du *Walden* de Thoreau. Les voix faisaient vaciller nos certitudes et le monde ancien, elles annonçaient le présent et des temps nouveaux. Maybelene et moi, arrivés parmi les derniers, avions trouvé à nous caser au fond de la salle, assis dos au mur. Nous n'étions plus que les simples fragments d'un tout, insérés un bref instant dans une histoire plus importante que la nôtre, qui se constituait musicalement sous nos yeux. Du bar j'avais réussi, enjambant les corps enchevêtrés, à ramener un Cinzano pour elle – tu sais ce que je veux, avait-elle dit – et une bière pour moi.

Le temps était tout à coup devenu élastique, extensible. Contre ma hanche, je sentais celle de Maybelene, la chaleur était une étuve qui nous baignait, nous rapprochait, nous unissait. Maybelene s'était débarrassée de sa veste, avait ôté son pull, et quand elle l'avait ramené par-dessus sa tête, j'avais fugitivement vu bouger ses seins, soulevés dans le même mouvement. Elle avait

93

juste les bras nus, mais tant de chaleur émanait d'elle, de son corps, tant de beauté irradiait de son visage empourpré, de sa peau, qu'elle semblait plus nue qu'elle n'était, et je le lui dis en riant, « My God, you're half naked! », tu es à demi-nue. Son épaule est venue s'appuyer contre la mienne. Je ne savais pas si c'était intentionnel.

Parfois, entre deux chansons, pendant que la salle applaudissait et crépitait, elle me passait de petits chewing-gums dont elle avait fait provision, que je retirais de leur emballage, que je lui rendais ensuite, vide de contenu, comme si ça avait été chose précieuse sur laquelle, lui disais-je, elle devait désormais veiller ; et plus la soirée avançait, plus il y avait de minces bouts de papiers – les siens et les miens – qui s'accumu-laient entre ses doigts, dont je me déchargeais sur elle, dont elle avait la garde – la responsabilité, lui disais-je le plus sérieusement du monde –, et elle les conservait dans son poing fermé, tout près d'elle, contre sa poitrine ; elle en était la sentinelle, et parfois elle en jouait musicalement, les frois-sant, les roulant, les pliant, les chiffonnant, les choyant, les défroissant, les triturant, les pressant, les étirant, les lissant entre ses doigts. C'était un enfantillage bien sûr, mais justement.

Justement, ce qui comptait, c'était que taci-
tement elle se chargeait de ces inutiles emballages,
si légers qu'ils fussent, aussi faciles à déchirer
que des montgolfières prêtes à s'envoler, futiles et
dérisoires, ce qui comptait, c'était son absence de
rejet, son acquiescement, son entente sur des
petits riens, semence, germination. L'acceptation
de l'accessoire.

« À leur façon, ces papiers chewing-gum
contiennent peut-être tout un roman, tu ne crois
pas ? » me dit-elle, et elle ne se moquait qu'à
demi.

35

Maybelene était la seule de nous – Barbara, Simon et moi – à ne pas avoir de bicyclette. Elle restait toujours tributaire des horaires de bus. Une piétonne dérisoire, statue immobile à nous attendre au bord de la route devant le King's ou le Kenko, en pull bleu ou en imper, à moins que l'imper jeté en travers du bras, au cas où. Et la grisaille du tissu tranchait alors sur l'éclat du shetland – lui, touche gaie et bleue dans le décor –, jusqu'à ce qu'elle nous aperçoive au loin, dévalant la pente, annihilant la distance de nos roues, les rayons pulvérisant le réel en un vide vaguement spectral, le dissolvant en un troublant doute. Puis, peu à peu, à mesure qu'on ralentissait, les rayons se remettaient à l'heure, comme une multitude d'aiguilles à l'intérieur d'une vieille horloge qui auraient décidé de réintégrer l'espace et le temps pour nous indiquer un peu plus clairement où et quand nous étions, dans un fugace décalage. Bref, Maybelene, même si elle levait alors le bras en guise de salut, l'air heureux et joyeux, appartenait jusqu'ici au monde du plan fixe.

Je m'étais donc mis en peine de lui dégoter un vélo – deux ou trois jours que je me promettais la chose. Car nous avions toujours des projets : excursions jusqu'à Hastings, jusqu'à Southend on Sea, la côte, la mer… que sais-je ? On déployait la carte, pointait le doigt… ah, que de noms à éplucher, décortiquer, faire exister… On choisissait les lieux pour leurs sonorités : qu'imaginer derrière elles ? Projets toujours remis, toujours repoussés. Mais aussi, dans les environs proches de Cambridge, il y avait de vieux pubs enfouis dans la verdure au détour de routes étroites et des rubans de la Cam où il aurait fait bon se perdre, stopper et se laisser doucement charmer par l'endroit… Chez le marchand, j'avais soigneusement choisi la moins amochée des bécanes. Toutes alignées, elles attendaient l'arrivée du pékin qui les tirerait de là, les emmènerait prendre l'air du large, les ferait filer sous les arbres, grimper des rampes ardues et leur permettrait parfois de souffler un peu sur le bord de la route, en un moment d'abandon dans l'herbe fraîche, guidon pointé vers le ciel.

Ce matin-là, manifestement, l'homme qu'elles attendaient, c'était moi : tous ces guidons, toutes ces sonnettes orientés vers moi me le disaient. J'en ai avisé une, au minois peut-être un peu plus aguichant, l'ai soulevée, en ai gentiment fait valser les roues qui ne demandaient pas mieux, affaire conclue, ai-je annoncé au marchand, tirant mon porte-monnaie, puis, tant bien que mal, pilotant mon propre engin de la main droite, tenant de l'autre sa voisine par le guidon, j'ai ramené de concert tout l'attelage, remontant Regent Street, jusque devant l'école, appuyant l'ensemble à l'arbre habituel. Mais on était déjà sortis des cours. Une Hélène qui descendait les dernières marches me dit :

– Hello, Chris… well, Maybelene already left, you know.

36

Never would we, jamais nous n'aurions osé utiliser le téléphone de nos landladies – la somme dont on s'acquittait chaque semaine ne couvrait pas cette menue dépense-là et voilà que nos hôtes auraient dû se perdre en rappels incertains et embarrassés, « Chris, didn't you forget something? Didn't you make some calls this week? », et chacun aurait dû fouiller dans sa mémoire avant de se souvenir, « Oh yes, right, you're perfectly right, I did, and... » Toujours on s'appelait de l'une ou l'autre cabine rouge au coin d'une rue, où l'on déversait le nombre voulu de piécettes; chaque coup de téléphone était une petite aventure, un petit déplacement sans garantie, on ne pouvait jamais être assuré qu'à l'autre bout la personne espérée serait là, tant le parcours de chacun était encore libre et aléatoire, à la merci d'imprévisibles fluctuations qui pouvaient

vous laisser face à l'absence, subitement perdu
devant un grand vide – peu de nos rencontres
étaient fixées à l'avance, la plupart survenaient au
gré du hasard, au détour d'une ruelle, au Copper
Kettle ou sur les riverbanks et les sentiers aux plates-
bandes fleuries qui reliaient le labyrinthe des
colleges et les deux rives de la Cam – en général,
de la cabine rouge, on tombait sur la voix de la
landlady qui disait « Oh, I guess you want to
speak to Maybelene, well, actually, she went out,
you know… », et l'on se perdait en conjectures,
ou alors on l'entendait appeler « Maybelene!
Maybelene! There is a call for you… » Il s'écoulait quelques miraculeuses secondes d'attente,
et c'était la voix de Maybelene au téléphone, et
nul ne saura jamais, pensais-je, le bonheur que
j'avais au son de cette voix qui disait simplement « Hello ». On se fixait vite rendez-vous, à
telle heure à tel endroit, et quand on raccro-
chait, c'était un jeune homme au cœur très léger
qui enfourchait sa bicyclette.

Nous étions retournés tous les quatre, Simon,
Barbara, Maybelene et moi, au Regal Cinema; et,
comme au premier soir, Maybelene avait mis
un peu de rouge sur ses lèvres, j'ai pensé que cela
lui allait très bien. Les deux filles étaient assises

entre Simon et moi, et elles ne cessèrent de chuchoter ensemble pendant toute la séance sur tous les sujets que les filles arrivent à aborder dans une salle de cinéma quand on passe un film passionnant, y compris sur moi, m'apprit Maybelene peu après, lorsqu'elles s'étaient demandé à quel moment exact « I would get angry », à quel moment j'allais éclater et leur dire de se taire. Leur attitude m'était d'autant plus surprenante que son côté outrageusement puéril entrait en totale contradiction avec la présence du rouge sur les lèvres de Maybelene. C'est vrai, je la sentais plus femme que jamais. Dans les moments les plus effrayants (titre : *A New Face For Hell*), elles se taisaient tout de même. Comme une tête hérissée à la Jimi Hendrix bouchait partiellement sa vue, Maybelene rapprochait la sienne de la mienne, je la découvrais tout à coup délicate et fragile à côté de moi, lovée dans son fauteuil de cinéma, d'une fragilité qui était peut-être une façon de me faire signe.

37

Oui, Cambridge tenait toujours pour moi du labyrinthe – cette qualité, j'aurais voulu que la petite ville ne la perde jamais pour Maybelene et pour moi, car le plaisir était immense à devoir sans cesse s'orienter et se repérer, à prendre, à cette échelle microscopique, la mesure de notre capacité d'invention, à assembler les pièces du puzzle, à recomposer sans cesse notre expérience pour reconnaître soudain avec une pointe d'amusement « Oh yes, here it is » ou « Oh no! we had better go this way... » – et alors, en riant, nous rebroussions chemin, pas du tout malheureux de nous être trompés, nous revenions sur nos pas ; au centre-ville, nous étions toujours à pied, bicyclettes cadenassées dans un sombre passage près de Market Place. La ville restait ainsi perpétuellement vierge, et de nous être brièvement égarés tissait notre connivence, la fortifiait plus sûrement que d'autres expériences moins fragiles, parce que, on le savait au plus profond de soi-même, c'était d'avoir fait fausse route côte à côte pendant un moment qui nous permettait de rire ensemble de nos méprises, qui nous assurait que nous étions capables, à nous deux, de tirer fête de si menues défaites.

Nous peinions justement à trouver All Saints Passage, une ruelle où – une affichette sur un mur de Market Place nous l'avait appris – se tenait une exposition de peinture surréaliste. L'affichette montrait ce tableau de Magritte où un homme vu de dos n'aperçoit dans un miroir que son dos. On avait beau demander, on ne trouvait pas, on allait de ruelle en ruelle, ou plutôt de nom de ruelle en nom de ruelle. Même si elles étaient dans le prolongement l'une de l'autre, chaque fois que l'on en quittait une, on avait l'impression de franchir un seuil invisible, d'entrer dans un chapitre nouveau, à l'intitulé différent. Ces rues ouvraient chapitre après chapitre dans la ville, vous faisaient soudain sentir extraordinairement libre, comme si le simple nom d'une rue pouvait changer le cours des choses et qu'à sa manière, chaque fois que vous y pénétriez, une rue nouvelle vous saluait de son nom.

Il se peut que le terme de « morose » que Maybelene employa deux ou trois fois à mon propos – oh, pas plus! – soit né dans sa bouche devant l'un des tableaux que nous découvrîmes parmi les Magritte et les Dalí. Un étrange tableau au climat crépusculaire exposé avec les Delvaux dans une salle au sous-sol. Peut-être même est-ce moi qui le lui ai appris, ce mot, devant cette toile montrant un jeune enfant à la tête trop grosse, vieilli avant l'heure, qui traduisait, je ne sais pourquoi, toute la lourdeur du monde. Il se tenait au bord d'un lac, avec des gens en costume de bain, sans doute ses parents. Oui, peut-être est-ce là que je l'ai utilisé pour la première fois, ce mot français qu'elle allait par la suite retourner contre moi, au moment où je m'y attendais le moins, quand je croyais être tout simplement songeur, et qu'elle me disait, avec une pointe d'interrogation dans la voix « Tu es morose? Dis, tu es morose? » Ça n'était même pas un reproche, juste une incompréhension que je puisse être « morose » en certains moments qui, eux, ne l'étaient pas du tout, mais avec lesquels ma simple façon d'être – mon être tout entier – contrastait. Nous avons pris le chemin de la sortie avec cette agréable sensation de battre en retraite qu'on éprouve toujours lorsqu'on laisse derrière soi une expo ou un musée. Car la retraite est légère, heureuse, même si l'on s'extasie encore, même si l'on dit que c'était très bien, on est immensément soulagé de retrouver la rue et des personnages qui nous ressemblent, des vivants. L'instant d'après, All Saints Passage reprenait sa juste place dans le puzzle que Cambridge acceptait alors de composer avec nous.

38

Un jour que nous étions à bicyclette – elle portait une jupe bleu marine et un pull de laine jaune vif – nous nous sommes arrêtés au bord de la route devant King's College pour attendre Simon et Barbara. Elle avait posé un pied à terre et sur sa cuisse gauche j'ai vu courir le frémissement d'un muscle ; son jarret tendu. Assise à demi sur la selle, elle a tourné son visage vers moi et j'ai aimé alors le mouvement de sa taille qui pivotait. Nous avions le regard ébloui l'un par l'autre – j'ai dit « Je me vois dans tes yeux ». Et c'est vrai que la lumière et notre position étaient telles que je distinguais parfaitement, en miniature, mon reflet dans ses pupilles, un reflet de moi-même qui était plus vivant que je ne m'étais jamais connu, et qu'elle me révélait malgré elle plus sûrement que si mon sexe avait été en elle. Elle s'est mise à rire, troublée. Peut-être y avait-il dans ce viol involontaire un enjeu qu'elle pressentait. C'était une jeune fille, et les jeunes filles ne savent pas toujours qu'elles sont étranges comme des miroirs, le lieu d'infinies reproductions. J'étais bien en elle, incorporé, prisonnier de ses yeux comme un voilier astucieusement placé par un marin au cœur d'une bouteille.

39

Ce que je voudrais dire, c'est que la distance entre elle et moi était particulière : elle ne cessait de bouger, c'était une distance très vivante qui se redéfinissait chaque fois que nous nous retrouvions, chaque fois que nous nous rencontrions. On ne savait jamais jusqu'à quelle frontière elle nous porterait, à quel point exact nous serions l'un de l'autre selon les moments ; elle évoluait, se rétablissait au gré des regards et des rires, des attitudes et des gestes, et sa principale qualité, je crois, tenait à cette géométrie impondérable. À l'intérieur de cette distance, nous nous distinguions parfaitement, nous nous distinguions mieux, elle créait entre nous une singularité que chacun, grâce à elle, percevait avec plus de justesse chez l'autre. Même quand nous étions très proches, elle mettait en évidence tout ce qui nous séparait. On comprenait qu'il ne pouvait y avoir de vrai regard sans distance, et qu'en même temps c'était notre regard qui la créait, cette distance, qui avait besoin d'elle pour se donner une claire acuité.

40

Un autre jour que nous nous étions arrêtés au même endroit, attendant une fois de plus Simon et Barbara – « in front of King's College » était notre lieu de rendez-vous favori –, elle a tendu le bras et passé son index sur mon profil ; glissant du front au nez, elle m'a dit qu'elle aimait l'angle marqué qui se dessinait à cet endroit.

– Tu as un nez arabe, a-t-elle décrété.

J'ai dit que cela pouvait tout aussi bien être un nez juif.

Elle s'est mise à rire. Et j'ai pensé : j'aime ses yeux quand elle rit. C'était un rire qui naissait de rien, ou presque rien, juste du plaisir de s'accorder dans un regard. Et ces riens étaient des indices que nous créions de toutes pièces pour consolider quelque chose de fragile qui se mettait à exister entre nous.

41

À 1 p.m., on s'était retrouvés au Criterion, tous deux calfeutrés dans l'arrière-salle du pub sur une banquette creusée par le temps, au tissu de gros grain râpé, usé, fatigué par tant et tant d'histoires et de braillements, de *cheers* et de *sonofabitch*, sonné de vulgarité, exhalant sa poussière. Comme la salle était déserte, j'avais dit, « let's move », allez, viens, on retourne à l'entrée, où il y a au moins quelques clients au bar, mais elle avait refusé, « no, let's stay here ». Elle était vaguement effarouchée — c'était la première fois que je l'amenais au Criterion et, à cette époque encore, il n'était pas absolument convenable pour une fille de se rendre dans ce genre d'endroit —, bien sûr, je lui avais répliqué « don't be ridiculous, Harry lui-même est venu ici avec sa mère lorsqu'elle lui a rendu visite » — j'imaginais le bon Harry en train de tendre une bière à sa mère, la voix haute et forte, sûre et souveraine (je crois que très rarement la paillette d'un doute la faisait vaciller), l'introduisant au Criterion comme dans un château, et sa mère, ravie, émerveillée, se souvenant longtemps plus tard de ce moment où elle était allée avec son grand fils dans ce pub, emmenée pour un tour du propriétaire : suspendus aux murs, des cavaliers vêtus de noir et de rouge partaient à la chasse à courre précédés d'une meute de chiens jappant et aboyant, à peine retenus par le cadre des tableaux.

Simon et Barbara ne nous avaient rien dit de *Belle de jour*, qu'ils avaient déjà vu. Le Arts Cinema était comble à chaque séance. J'avais réservé des places bien centrées dans la dernière rangée, tout au fond : « Quite good », avait approuvé Maybelene, et j'étais content que ce choix lui plaise, même si je ne savais pas très bien pourquoi, sinon que j'avais toujours trouvé – lointain héritage de mes trois séances hebdomadaires dans ma salle de quartier à l'âge de dix ans – qu'au cinéma il valait mieux n'avoir personne dans son dos, à la façon des héros de western surveillant leurs arrières. Mais parfois j'obéissais à l'exigence contraire : il fallait être au premier rang du balcon, parmi la grappe de mioches si impatients que c'était miracle qu'aucun d'eux ne fût jamais allé s'écraser deux ou trois mètres plus bas, au milieu d'une foule d'autres gamins tout aussi surexcités, démons sifflant et hurlant pendant que passaient les réclames ou les actualités. Maybelene et moi, nous n'avions cette fois personne derrière nous et c'était tant mieux : qui sait si une présence étrangère ne risquait pas de nous fusiller traîtreusement, de tout bousiller, sentiments, émotions, plaisir d'être l'un à côté de l'autre, de nous sentir mutuellement respirer, la poitrine imperceptiblement soulevée à peu près selon le même rythme. En attendant, dans la lumière couleur taverne de pirates qui allait bientôt décliner, nous parlions de Mitchum, Brando et James Dean – avait-elle jamais vu *La Nuit du chasseur*? *À l'est d'Éden*? *Rebel Without a Cause*? Elle portait un jean blanc et une chemise noire, ses cheveux – que le bandeau ne retenait plus – tombaient joliment presque jusque sur ses seins.

Tout à coup, j'ai senti son épaule contre la mienne, sa chaleur. Le film avait commencé.

42

J'avais complètement oublié de la prévenir avant le film qu'elle pouvait me parler pendant, comme avec Barbara, si elle en éprouvait l'envie. Je m'étais borné à lui confier une nouvelle fois des petits papiers de chewing-gum pour jouer avec, à chiffonner entre ses doigts pour ressusciter notre soirée au Folk Blues Club et, dans le froissement qui s'ensuivrait, froisser le temps, le congédier un peu plus, puis, de soirée en soirée, lui échapper définitivement.

Elle avait accepté de ne pas prendre le dernier bus (ce soir-là, elle n'était pas venue à vélo) et j'y voyais une sorte de gage qu'elle m'accordait, mais un gage de quoi? Un gage plutôt mystérieux dont on ne savait pas du tout quoi faire, ni elle ni moi.

Après un dernier thé au Kenko, je l'ai accompagnée Market Place, elle a exploré son porte-monnaie, elle n'avait plus assez d'argent pour un taxi et, confuse, elle m'a demandé de lui prêter cinq pounds. Puis j'ai fait la queue avec elle. Qu'il y eût devant nous deux personnes ou vingt-cinq ne changeait presque rien, ça allait toujours beaucoup plus vite qu'on n'imaginait, on était toujours surpris de noter à quel point l'attente finalement était brève – étonnante l'allure à laquelle ces queues se résorbaient et pour tout dire étaient même agréables, c'était le temps en personne qui se défilait, qui se montrait docile et compréhensif, surtout quand la soirée était belle, mais aussi lorsqu'il bruinait légèrement et qu'il fallait ouvrir son parapluie – si l'on en avait un. Alors la queue se resserrait, une cohorte de parapluies où dominait le noir formaient comme une toiture baroque, une suite de rebondissements, de dos de scarabées, une succession de sombres coupoles sous lesquelles, profitant de plus prévoyant que soi, on était un peu abrités, tels des corbeaux les plumes étroitement fermées sous la pluie, le bec bas. Et puis les gros taxis affluaient dans un rejaillissement d'eau, Maybelene se précipitait à l'arrière de l'un d'eux en donnant l'adresse au chauffeur par la glace coulissante, elle faisait un dernier signe amical qu'on distinguait encore à travers la vitre embuée.

Une fois, quelques semaines plus tôt, alors que Simon était avec nous, j'avais vu que son regard derrière une vitre pareillement embuée avait cherché le mien, s'était posé un instant sur Simon puis était revenu vers moi au moment où la voiture démarrait. Simon et moi étions retournés vers nos vélos ruisselants, guidons mal lunés, prêts à charger comme des taureaux.

43

J'étais devenu l'étudiant le plus irrégulier, mais d'une irrégularité si souveraine que lorsque, tout à coup, le professeur, la mine stupéfaite, me voyait débarquer à son cours en fin de matinée, il n'osait pas le moindre commentaire. Je me glissais sur le banc, devant Maybelene. C'était peut-être une forme d'impertinence, mais qu'avions-nous à faire d'un monde pertinent ? Je crois que Mr Wright comprenait très bien tout cela. Après *Youth*, nous étudiions *Dr Faustus* de Marlowe, et Méphistophélès était au cœur de toutes les discussions. Plusieurs fois, elles avaient dérivé sur le thème de la fuite du temps imparti et du meilleur usage que chacun pouvait en faire. Mr Wright citait Bergson, Sakai jugeait le temps une préoccupation adolescente, Suliman trouvait l'expression « je n'ai pas le temps » absurde : n'avions-nous pas, notre vie durant, tout le temps ?

Pour Maybelene et moi, il avait perdu toute importance. Il m'arrivait de manquer les cours, de m'endormir à quatre heures de l'après-midi ou à neuf heures du matin. J'avais pulvérisé mes horloges internes, désormais commandées par d'autres rythmes, plus heureux et subjectifs, les aiguilles en étaient affolées, mais si justement déréglées qu'elles tendaient vers les plus justes ellipses. En fait, contre toute attente, elles tournaient beaucoup plus rond. J'étais même en retard à nos propres rendez-vous, oh, jamais plus d'un quart d'heure, elle m'attendait, et tous deux nous savions bien qui nous obligions ainsi : à lui de nous subir, à lui de prendre son mal en patience, à lui de lever vers nous des yeux de chien battu ; le temps, comme le ciel, pouvait attendre. Qu'était-il quand mes repères ne tenaient plus que dans le scintillement des yeux de Maybelene et que je sentais qu'il était en mon pouvoir de la faire rire, dans la vision de son pull canari lorsqu'elle arrivait du haut de Regent Street sur sa bicyclette ? Pour quoi comptait-il devant une chanson de Mike ? devant Harry levant sa bière et dominant de son regard toute la foule d'un pub avant de porter l'énorme chope à ses lèvres ? devant ces soirs où la lumière s'éternisait comme si elle-même n'en avait rien à faire, envoyait tout balader, à commencer par ces nuages moutonneux qui se défilaient à grande vitesse, la queue basse, comme des pleutres face à l'évidence? Le temps avait renoncé à rivaliser, il s'inclinait, courbait la tête devant chaque seconde muée en goutte d'éternité.

44

Sitôt parvenus Market Place, nous étions entrés dans la plus grande librairie de la ville, en face de King's College, pour y comparer le *Faust* de Goethe et celui de Marlowe. Le contrat était-il le même chez l'un et chez l'autre ? Une chose était sûre, dans le mouvement où nous cherchions ensemble, de page en page, les bons passages, nous savions une nouvelle fois que Méphistophélès avait perdu son pari, qu'il pouvait tourner casaque, battre en retraite, que cet instant l'avait défait. Méphisto, nous disions-nous, quittant la librairie, ressortant dans le soleil éclatant, tu ne fais tout simplement pas le poids.

45

Barbara lui en avait si bien parlé que très vite nous étions retournés avec Maybelene chez Tess. Elle s'était faite beaucoup trop élégante pour la circonstance. « Well, you know, we're just going to some American people's place », l'avais-je pourtant avertie. Elle avait abandonné ses jeans pour une jupe blanche et une veste brune. Barbara, elle, alors que nous remontions Mill Road, montrait tant d'excitation qu'elle faillit nous jeter tous les trois contre un camion en nous entraînant subitement sur la route, elle semblait gagnée par une euphorie à laquelle répondait la lumière du soir, la douceur ambrée du crépuscule – un hanneton un instant s'est posé inconsidérément sur sa main et, surpris, stoppés dans notre progression, nous l'avons admiré le temps qu'il reprenne son envol. Quand nous sommes arrivés, oui, ils étaient tous à nouveau là,

Tess, le couple américain, les mêmes personnes que l'autre fois, et Mike surgirait tout à l'heure, nous n'en doutions pas, pourtant on ne savait jamais précisément quand ; il apparaissait et disparaissait au détour des rues de Cambridge, je l'ai dit, et comment être si sûr de sa venue, après tout ? Le plus étrange, en cette ville, c'est qu'on entendait parfois des pas résonner devant soi provenant d'une ruelle perpendiculaire, on avait un pressentiment, une attente se creusait à mesure que l'écho grandissait, s'amplifiait, claquait sur le bitume : on se disait, c'est Mike, c'est sûrement Mike qui va jaillir à ce coin de rue, qui s'en approche en même temps que nous… et c'était lui ! Annoncé par ses pompes brûlées, c'était lui ! Je n'ai jamais connu dans ma vie un lieu aussi riche de coïncidences que Cambridge à cette époque, et je crois bien que c'est pour cela que je l'aimais tant, parce que c'était la ville des coïncidences – une vraie scène de théâtre, où toutes choses tombaient juste comme il fallait, sans fausse note. Curieusement, lors de cette soirée, nous vîmes à peine Mike, bien qu'il fût arrivé ; jugeait-il sa présence pour nous superflue ? craignait-il de déranger l'ordre déjà établi ? Sa guitare émaciée était posée dans un coin, semblait chanter toute seule pendant qu'il allait de groupe en groupe, riant et plaisantant, toujours gai malgré l'imperceptible mélancolie qui hantait le fond de sa voix et de ses yeux sombres. Puis, échappant à nos regards, il avait chu sur le large sofa, apportant sa compagnie à Tess, étalée et épanouie comme une grosse reine africaine entourée de sa cour. Et avec elle ravie et les prunelles soudain plus brillantes, Mike fit ce qu'il savait le mieux faire : donner envie de vivre, rendre vivant.

À un moment, j'ai annoncé à Maybelene que je ne comptais pas venir aux cours le lendemain. Elle a lâché un « Oh, no ! » complètement désolé. Elle me dit que la classe était ennuyeuse et vide – ce sont ses mots, « boring and empty » – quand je n'étais pas là. Mon cœur s'est mis à battre plus vite. Et je lui ai dit que, quant à moi, j'aurais lâché les sœurs Brontë depuis belle lurette si je n'avais senti sa présence discrète, juste derrière moi, près de la porte-fenêtre ouvrant sur les arbres, où quelques rayons de soleil printanier sortaient en même temps que nous sur le coup de midi pour chauffer de leur mieux le modeste jardin, tandis que nous piquions des chips et des cacahuètes dans les coupes qui circulaient, tout en buvant du vin blanc de France acheté au prix fort par Mr Wright.

En classe, le lendemain – j'avais surgi à la dernière heure –, on reparlait du *Dr Faustus*, elle me chuchota tout à coup à brûle-pourpoint qu'il ne lui restait plus que vingt-cinq jours ici, « I have only twenty-five days left here ».

– Twenty-five days left !

– Yes, maybe thirty. If I've got enough money.

Ce qui m'a alors sidéré, ça n'était pas le petit nombre de jours qui restaient, mais cette émotion subite qui grandissait en moi, qui me prenait si complètement au dépourvu. Elle me disait qu'elle n'avait presque plus d'argent, à peine « fifty pounds ». Comme moi, elle avait travaillé pour se payer ce petit supplément d'études… Dans vingt-cinq jours, elle serait loin. Je n'avais pas envie qu'elle soit loin dans vingt-cinq jours.

Déjà le cours reprenait… « And so Mephisto », poursuivait Mr Wright…

47

Mrs Jarman m'avait demandé : « Chris, are you going to a Mayball ? Did you get an invitation ? » J'avais instantanément compris que ce mot que j'entendais pour la première fois – « Mayball » – était un sésame qui aurait dû m'être familier depuis des mois. Je me sentis curieux, effrayé. Ce mot, je galopais désespérément après sa signification, il sonnait à la fois comme un interdit et une chance virtuelle. Il y a sûrement, pour chacun, quantité de mots comme celui-là : on a le sentiment d'en être, ou de ne pas en être. Ce mot, je n'en étais pas. J'en étais exclu. Il n'était pas de ceux qui vous accueillent spontanément en leur sein. Il était de ceux qui m'avaient toujours fermé la porte au nez, envoyé balader. De ces mots-là, j'étais presque toujours resté à l'extérieur, sans que je puisse apprendre à quoi ils renvoyaient exactement, ils avaient un caractère très privé.

48

Les yeux de Maybelene s'étaient mis à briller, elle ne s'attendait pas à ça… Étais-je bien sûr que…

– Yes, sure.

– Alors, c'est oui. Then, yes. Great!

J'avais dit « Wait, wait, I still have to find tickets ».

Trouver des cartes d'invitation? Je ne doutais pas de ma réussite, même si cela devait prendre quelques jours. Puisqu'elle m'avait dit oui, j'étais sûr que j'y parviendrais. Puisqu'elle m'ouvrait la porte du mot « Mayball » (il était impensable de se rendre à ce genre d'événements autrement qu'en couple, tout carton était un carton double), la chance me sourirait. Mais une robe? une robe longue… elle n'avait pas de robe longue ici, s'inquiétait-elle soudain. Son front s'était un instant plissé et puis… « I'll have one sent by my mother, a blue one. » Elle s'en ferait envoyer une par sa mère. Bleue.

Il n'y avait plus qu'une personne devant nous dans la file pour les taxis, vite happée. Le *cab* suivant s'est avancé, la porte a claqué sur Maybelene, elle a juste pu me lancer :

– Et toi, comment seras-tu ?

Moi ? Je n'avais pas de smoking, ni de souliers adéquats. Ni chemise blanche, ni nœud pap, mais tout cela viendrait en son temps, comme le reste, en cette époque où la vie, chaque jour, me tombait dessus comme une nouveauté dernier cri. Je deviendrais anglais parmi les Anglais.

49

Lors de l'un de nos apéros, Mr Wright m'avait demandé et vous, Chris, que ferez-vous plus tard? Et moi, sans ciller: « writer », écrivain. Je développais devant lui l'idée qu'il devait être possible de composer un livre à la façon dont les Beatles avaient imaginé leur album *Sgt. Pepper's Lonely Hearts Club Band*, avec la même invention, la même liberté, la même suprême fantaisie, avec des petites voix et des sons étranges qui surgiraient par-ci par-là, de nulle part et de partout. Écrire ne pouvait être qu'une fête, disais-je à Mr Wright vaguement interloqué, une jam-session, une surprise-party, une longue impro: c'était plaquer ses doigts sur son Underwood comme Jerry Lee Lewis trois accords inaugu-raux sur son piano (on voyait bien qu'il ne savait pas du tout qui était Jerry Lee Lewis). Je lui expliquais qu'on pouvait très bien écrire comme on enregistrait un morceau de rock entre 1954 et 1956, qu'il y avait sûrement moyen de jeter, balancer un texte sur une feuille de papier à la façon dont on avait inventé le rock'n'roll dans les studios Sun, avec la même immédiateté. Je soutenais qu'écrire est comme se mettre au bord d'un torrent de montagne dans l'attente d'une truite et l'en sortir dans toute sa fulgurance. Que ce qui compte avant tout, c'est de faire des prises : il y a un moment imprévisible où, tout à coup, on sent qu'on tient quelque chose, Sam Phillips enclenche les bobines de son magnéto, Elvis se lance dans « That's All Right Mama », Carl Perkins dans « Boppin' the Blues », Jerry Lee hurle « Great Balls of Fire »… Plus que de la musique, on a saisi un instant de jaillissement pur, et il me semblait qu'écrire devait être un phénomène de même nature. Ce qui importait, ça n'était pas tant ce qu'on écrivait que la pureté, la spontanéité, la violence qui s'incarnait dans un instant d'écriture, aussi bref et vif que la durée d'un 45 tours : il s'agissait d'enregistrer la violence de l'impalpable. « Yeah, you just have to make takes », lui répétais-je, on fait juste des prises : si c'est bon on garde, si c'est mauvais on jette.

50

Nous parlions d'aller à Hastings, à Londres, à... Mais ce genre de projets ne se concrétisait jamais.

51

Cette fois, l'idée était de se rendre en stop au bord de la mer. Sur une carte, nous avions repéré un coin appelé Felixstowe, sur la côte est, qui paraissait à distance raisonnable, ni trop loin ni trop près. Pour augmenter les chances qu'une voiture s'arrête, nous nous scinderions en deux équipes : Simon et Barbara d'un côté, Maybelene et moi de l'autre. Car ce serait encore plus amusant si on faisait la course. Qui seraient les premiers arrivés à Felixstowe ? Chiche ! Les idées les plus folles sortaient alors au quart de seconde ; l'un émettait une proposition, l'autre renchérissait et tout le monde reprenait en chorus après quelques envolées divergentes : c'était une vie jazzée où chacun commençait à connaître admirablement son propre registre, les potentialités émergentes de sa personnalité, et en jouait, en improvisait comme d'un instrument solo. De nous quatre jaillissait un supplément d'être : nous formions un vrai groupe – un groupe quasi musical dont les voix s'accordaient aussi bien que celles des Fab Four, et dont les sonorités, riches et authentiques, se mariaient de façon aussi neuve. Je ne suis pas sûr que ce timbre-là, ce timbre qui était le nôtre, ne se soit pas perdu à jamais, parce qu'il dépendait de nous et que nous étions les enfants de cette époque.

Ainsi nous tenions-nous, Maybelene et moi, au bord d'une petite route à la sortie est de Cambridge, avec elle qui levait gauchement le pouce – elle portait des jeans, un pull gris et, jeté sur le bras, son imper, on allait du côté des embruns ; elle avait aussi dans un sac du chocolat et quelques pommes. À peine l'avait-elle fait – lever le pouce – que s'arrêtait devant nous la seule voiture à s'amener sur cette route déserte, une grosse et rutilante Jaguar bleu nuit, au volant de laquelle se trouvait un Américain accompagné d'un copain. Nous avons pris place à l'arrière sur les sièges de cuir qui sentaient bon, les yeux happés par le tableau de bord en acajou où oscillaient des aiguilles, et la voiture est repartie doucement, sans forcer l'allure, avec un flegme remarquable, au travers de la campagne anglaise et par de petits villages pittoresques comme

Magdelene (c'est à cet instant, je crois, que j'ai eu envie de me payer une Jaguar au moins une fois dans ma vie), la vitesse se réduisant à presque rien lorsque devant nous des cavaliers et des cavalières portant bombes et belles tenues trottinaient de concert, leurs montures lâchant du crottin, direction Newmarket, où chaque week-end avaient lieu des courses de chevaux. En deux heures nous étions à Felixstowe, tout de suite sur la plage, où nous nous sommes promenés en ramassant des galets et des cailloux pointus. Le ciel était un peu nuageux et la mer roulait de grosses vagues. Le vent nous ébouriffait. Maybelene avait enfilé son imper et je ramenais contre moi les pans de ma veste Carnaby. Simon et Barbara s'avançaient déjà à notre rencontre sur la plage de sable durci, et c'était difficile de dire qui avait gagné car eux aussi annonçaient qu'ils étaient arrivés « depuis un moment ».

Nous avons grignoté notre lunch, assis sur des chaises à l'extérieur d'un *fish and chips*, en regardant les *seagulls* se chamailler et pousser des cris à ras de l'écume, fait quelques pas ensuite jusqu'au port et poussé même le long d'une promenade déserte jusqu'au Bingo, une lugubre salle de casino, où une dizaine d'adolescents lançaient à toute vitesse des bolides miniatures sur un circuit électrique, le long duquel ils se bousculaient et se poursuivaient. En ressortant, nous nous sommes amusés un instant de la déformation de nos images dans deux miroirs qui nous reflétaient grandeur nature, l'un concave, l'autre convexe, nous postant en rigolant devant l'un puis devant l'autre pour un moment parfaitement idiot. Sur le parking, dans leurs voitures, des couples de retraités prenaient le *five o'clock tea* gardé chaud dans un thermos en contemplant la mer. Tout cela était aussi triste qu'un tableau de Boudin ; on est toujours au bout du monde sur les bords de mer, spécialement en certains coins d'Angleterre. Et comme l'après-midi finissait, que Felixstowe n'offrait aucune perspective pour la soirée, l'un de nous a pensé à entrer dans une épicerie où – cinq secondes à peine de concertation – nous avons raflé une bouteille de gin (ou était-ce du sherry ? les filles n'avaient-elles pas plutôt voulu du sherry ?), une de whisky et deux boîtes de biscuits, anticipant une soirée qui serait très exactement ce que nous en ferions, songeant qu'on passerait les heures suivantes dans une chambre qu'il fallait encore trouver.

52

Le minuscule Kimberley Hotel donnait sur la promenade du bord de mer. Nous n'avions fait que glisser, en entrebâillant à peine la porte, le léger bagage des filles dans leur chambre, puis nous nous étions réunis tous les quatre dans celle qui lui faisait vis-à-vis – c'étaient les deux seules pièces du troisième – avec gin (oui, c'est décidé) et whisky. La lumière qui tombait du plafonnier était pauvre et les lames du parquet craquaient, les couvre-lits étaient de couleur claire avec de vifs et fins motifs à fleurs. Nous étions dans la chambre, c'est-à-dire dans un mot magique, tout en consonnes – juste une voyelle nasale et ombrée –, qui donne à entendre comme l'essence même du mystère, qui a été un mystère dès le début : celui de l'apprentissage du langage, puisque la « chambre » est l'un des tout premiers mots qui se soit frayé un chemin dans notre oreille d'enfant, « Tu viens dans la chambre ? Reste dans ta chambre ! On va dans la chambre ? » Selon qui pénètre dans la chambre, le monde entier peut en être renversé. La chambre est le lieu de l'enfance des choses et de leurs métamorphoses, on y entre triste, on en sort joyeux et qui peut dire pourquoi ? On y entre étrangers l'un à l'autre, on en ressort copains pour toujours, on y entre indifférents, on en ressort amoureux, amants parfois... Des après-midi entières de sa jeune vie, certains jours de pluie ou même parfois quand il fait grand beau, on entend la mère qui crie et qui appelle, pourquoi ne sortez-vous pas, les enfants ? Mais non, on fait la sourde oreille, on ne répond rien – on veut rester « dans la chambre », parce que c'est un univers en soi, notre univers à nous qui sommes là ensemble pendant quelques heures, et que soudain les rapports avec les copains ou les copines, à force d'enfermement et de proximité, prennent un caractère de chaude intimité – si bien que lorsque la porte s'ouvre avec brusquerie sur un visage adulte, on sursaute, tiré trop rudement de ses jeux, expulsé d'un rêve, ôté d'un monde qui existait et qui tout à coup n'existe plus. Alors, on raccompagne machinalement le petit copain ou la petite copine jusqu'à l'entrée, jusque dans le vestibule – on a peut-être neuf ou dix ans, et on se dit salut avec au cœur un étrange et indéfinissable sentiment de magie effacée, de miracle enfui, on apprend confusément que toute chose finit, parfois très vite et sans prévenir, « Yes, that things can die very quickly without telling you ».

Il y eut quelque chose de tout cela, ce soir-là, entre Maybelene, Barbara, Simon et moi, au Kimberley Hotel. Nous avions demandé quatre verres à la réception, qu'on nous a poliment remis. Nous avons bu du whisky et du sherry – après tout, c'était peut-être quand même du sherry, il y a dans toutes nos histoires une part d'indécision, de retour à l'oubli. Les filles n'étaient pas en reste, et j'étais heureux qu'elles ne nous laissent pas en plan, qu'elles disent oui quand on offrait de remplir à nouveau leurs verres ; même, elles nous poussaient, elles disaient, on a envie que vous buviez un peu – ça n'était pas du tout pour qu'on se soûle, oh non ! –, c'était juste qu'on avait besoin tous les quatre de donner un petit coup de pouce au destin, et qu'elles acceptaient de le donner avec nous. Au moment où une douce chaleur a commencé à nous envahir, Maybelene a demandé, j'aimerais savoir ce qui se passe après qu'on a bu, et sur le moment personne n'a compris sa question, jusqu'à ce qu'elle précise un peu plus tard, oui, sur le plan de la biochimie du cerveau. Finalement, Simon a déclaré qu'il avait mal à la tête – c'était peut-être vrai – et qu'il sortait faire un tour avec Barbara, ils allaient marcher un peu sur la plage. Je suis resté seul avec Maybelene, soudain embarrassé, la chambre semblait tout à coup bien grande pour nous deux. Mais je devinais en elle une attente confiante.

Elle a contourné le lit pour venir s'asseoir à côté de moi. J'ai bougé la main.

– Est-ce que tu joues à être Julien Sorel ? a-t-elle dit. Do you play at being Julien Sorel ?

À l'instant où elle m'a posé cette question, je l'ai trouvée terriblement belle. J'ai dit que non, pas du tout. Je l'ai embrassée pour la première fois. Ses lèvres étaient complètement ouvertes pour moi, et sa bouche, délicieusement chaude ; elle a dit que c'était parce qu'on en avait envie depuis si longtemps. Elle était couchée sur moi, et ses cheveux tombaient de part et d'autre de mon visage.

Et puis – trois minutes ne s'étaient pas écoulées – la porte s'est rouverte. Barbara et Simon sont entrés en annonçant gravement qu'ils étaient fatigués, qu'ils aimeraient bien se coucher, pouvoir dormir. Maybelene et moi, nous nous sommes mis à rire d'un rire incontrôlable : nous étions tout à coup allégés, armés d'une prodigieuse superficialité – je n'ai jamais réussi à retrouver une superficialité aussi imparable.

Alors, Simon a refermé la porte derrière lui en coupant la lumière, malicieusement. Nous avons compris que Barbara était encore à l'intérieur, un froissement indiquait qu'elle s'était à demi allongée sur l'autre côté du lit. Elle nous entendait nous caresser par-dessus les habits et nous embrasser. Après quelques minutes, elle n'y a plus tenu – il y eut un bref rai de lumière, elle avait disparu.

53

À travers les pâles rideaux de la fenêtre à glissière, on voyait déjà des mouettes filer et crier dans le ciel, qui était tout gris et ouaté. Nous n'avions pas dormi ; elle s'était levée avant moi, j'avais entendu couler l'eau du lavabo et compris qu'elle se brossait les dents, puis elle avait ouvert et refermé doucement la porte, bruit de ses pas dans l'escalier. Nous étions restés toute la nuit enlacés et habillés, tantôt elle au-dessus de moi, avec son visage penché sur le mien, tantôt moi au-dessus d'elle, et chaque fois la chambre basculait, sans que nous perdions jamais l'un de l'autre une vision en gros plan : je ne voyais plus que son visage, ses cheveux, ses yeux, et elle ne voyait que mon visage, mes cheveux où elle passait ses doigts, et mes yeux.

Peu de minutes plus tard, elle était de retour, au bord du lit, elle debout, moi tout juste un peu redressé, mes mains autour de sa taille, ma tête contre son ventre. Elle chuchotait que « all the elderly people in the hotel », que toutes les personnes âgées de l'hôtel – en effet, c'était un havre pour retraités – n'avaient pas réussi à fermer l'œil de la nuit et parlaient de nous. On est quand même descendus prendre le petit déjeuner en ignorant les regards.

Puis, on est sortis du Kimberley Hotel, on a marché sur la plage humide et durcie, le long des barques tirées sur le rivage, sous le ciel gris qui brouillait le réel. Maybelene avait oublié son imper, souvent elle se plaquait contre moi et je sentais ses seins contre ma poitrine, l'instant d'après elle s'écartait, se rejetait en arrière, les bras tendus, puis elle revenait vers moi avec un rire de joie, un bonheur total ; le gris à cet instant était exactement la couleur qui convenait, nous n'existions plus que dans les fins dégradés qu'autorisait le ciel cotonneux, dans un monde de cinémathèque.

54

Le lendemain soir sur les bords de la Cam, j'ai touché l'un de ses seins – son sein gauche en glissant ma main sous son chemisier. Il était tout doux. Rond dans ma main. Rien qu'un instant. Il palpitait. Je ne tenais pas si souvent un sein dans ma main. La nuit était tombée. Nous étions assis sur un petit banc de bois vermoulu ; parfois l'étrave d'un punt à peine visible fendait la surface devant nous avec un bruit de clapotis. Nous venions de franchir un pont de pierre, au-delà duquel se trouvait un bosquet, et nous retournions vers la succession des colleges, après maints arrêts. Peu avant, dans l'ombre, j'étais adossé à un tronc d'arbre. La Cam coulait à deux pas. Elle avait joui, pressée contre moi. Tous deux debout. Mon genou glissé dans son entrejambe. Elle s'était incorporée en moi avec tant de passion, comme si elle avait voulu me faire entrer dans ce tronc d'arbre, m'embrassant si furieusement que j'avais été désemparé par sa violence. Désemparée, je crois qu'elle l'était tout autant que moi, qu'elle la découvrait à l'instant, cette violence en elle. Puis nous étions repartis en nous tenant par la taille. Rendus silencieux par cette étreinte – tout ébranlés encore.

Maintenant, pour la première fois, j'avais son sein dans ma main, un instant fugitif. Ce sein pour moi. C'était doux. J'ai eu un rire. Je n'ai pas pensé qu'il ne fallait pas. C'était un éclat de joie. Elle s'est méprise, elle a rejeté mon bras, le visage brusquement fermé. Je n'ai pas compris, je suis resté stupide. Elle disait : « Il faut qu'on redevienne comme avant. – Comme avant ? – Oui, comme quand nous étions simplement amis. » J'ai essayé de parler, de dire quelque chose, mais les mots ne sortaient plus de ma bouche. Elle semblait si totalement déterminée. J'aurais voulu lui expliquer que si ma main sur son sein... lui faire comprendre que... Mais les paroles ne venaient plus.

Nos bicyclettes se trouvaient quelque part du côté de la rue principale, non loin du Varsity. Tout le temps que nous marchions, une boule me serrait la gorge, me bloquait les mâchoires, je savais que si j'ouvrais la bouche, ma voix vacillerait, que je tomberais en sanglots à cause de cette chose qui était en train de m'arriver, de m'échapper. Quelle chose? Je n'en avais aucune idée.

Les bicyclettes étaient appuyées contre le mur dans le passage où nous les avions laissées. Elle a défait le cadenas de la sienne. Elle était à deux mètres de moi, de l'autre côté du passage. Elle a enfourché son vélo et elle a disparu.

55

Alternate take

On s'était arrêtés sur le petit pont, on s'était longtemps embrassés, d'abord très doucement, les lèvres mi-closes, roulant les unes contre les autres d'un même et tendre mouvement, puis, moment retardé, s'ouvrant lentement, progressivement, cédant le passage à la saveur des langues qui se mêlaient, jouaient, s'aimaient. Elle avait joui, moi aussi, adossé au muret du petit pont, elle pliée un peu sur moi — avec l'eau en contrebas qui ruisselait, et dans le léger grondement des vannes près de The Anchor. Pour la première fois, j'avais son sein dans ma main, un instant fugitif. Ce sein pour moi. C'était doux. Je n'ai pas retenu un rire de bonheur, un éclat de joie. J'ai ri. Elle s'est méprise. Elle m'a repoussé. Croyait-elle que je me moquais ? De m'avoir laissé prendre son sein ? Ou que mon rire était un rire victorieux ? Je n'ai pas compris. Elle était brusquement étrange – incompréhensible et étrange. Quelques secondes se sont écoulées et elle a dit qu'elle était « redevenue elle-même », qu'il fallait qu'on redevienne tous les deux « comme avant ». Plus aucun son ne pouvait sortir de ma gorge, j'étais rendu muet. Incapable d'articuler quoi que ce fût. La gorge nouée, serrée, bloquée.

En silence, nous avons refait tout le chemin vers nos bicyclettes, que nous avions laissées en début de soirée près du Varsity. Nous sommes arrivés là, et comme on ôtait les cadenas, dans une sorte d'ultime réflexe de survie, je lui ai dit :

– You have no right to do that, tu n'as pas le droit de faire ça.

Il y a eu un long silence. Nous étions dans la pénombre du passage, les guidons de nos bicyclettes brillaient, l'une d'elles n'avait pas de sonnette, celle de l'autre jetait un petit éclat bizarre. Deux mètres nous séparaient, toute la largeur du passage. On a réussi à lever les yeux l'un vers l'autre, on s'est regardés. Elle a demandé :

– Tu viendras au cours demain matin ?

J'ai dit que je ne savais pas, que vraiment je ne… Et alors, sa bouche contre la mienne. Les deux mètres qui nous éloignaient avaient été abolis. Je ne l'avais pas vue venir, et tout à coup je sentais la pression de son corps, de ses lèvres, sa langue cherchant ma réponse. J'ai écarté un instant mon visage du sien pour voir si tout cela était bien vrai, et j'ai vu qu'elle souriait. Elle me souriait. Renvoyé au néant, tout ce chemin d'enfer le long de la Cam. Congédiée, cette méchante dernière demi-heure... « Mais tu, tu... » Son élan vers moi, ses bras autour de moi... à nouveau. Ça voulait dire que... J'avais la voix toujours aussi étranglée.

J'étais un gamin, c'est vrai. Tant pis. J'ai toujours eu dix ans de retard sur tout et sur tous. Nous sommes repartis chacun de son côté sur sa bicyclette ; elle habitait à un bout de la ville, moi à l'autre.

J'ai remonté Regent Street sur ma bécane, m'apercevant que des larmes ruisselaient sur mon visage, je ne comprenais pas bien pourquoi. Des larmes incompréhensibles, les larmes d'avant, celles que j'avais retenues, et les larmes d'après, celles d'un bonheur brusquement retrouvé. J'avais eu si horriblement peur de la perdre, I had been so afraid to lose her. Et puis, tout à coup, j'ai compris. Bouleversé, y croyant à peine, je me répétais à haute voix : mais je l'aime ! je l'aime ! Ces larmes m'apprenaient cette chose que je ne savais pas du tout : je l'aimais, je l'aimais beaucoup plus que je ne croyais. Elles étaient le plus sûr indicateur de mon premier véritable amour.

56

C'était mardi soir – on s'aimait depuis deux jours. Elle portait une jupe bleue et une veste de même ton, mais plus claire, sur un chemisier blanc, nous pédalions ferme pour gagner Whittleford, à sept miles et demi, où l'on savait qu'il y avait une auberge médiévale pleine de charme qui serait à peu près déserte à cette heure et dans la grande salle de laquelle, enfoncés dans un canapé poussiéreux, chant grégorien tombant des hautes poutres de bois, on pourrait commander des *strawberries* et des framboises à la crème Chantilly. Puis, plus tard, plonger nos coupes dans une lourde vasque de punch posée sur le marbre au-dessus de la cheminée éteinte et nous griser lentement, assis sur les coussins, avec juste la chaleur du flanc de l'autre qui nous dirait que la vie valait probablement d'être vécue – à la façon d'une douce mais très provisoire certitude.

Elle avait eu trois petits amis, qu'elle avait tous aimés. Et moi, qui m'y connaissais un peu plus qu'elle en sexe mais pas du tout en amour, je lui ai candidement demandé si on aimait toujours de la même façon, si quand on aimait, c'était toujours avec la même force, avec cette même intensité que j'éprouvais à cet instant pour elle. Ou bien, était-il possible que l'amour se décline en divers degrés, de même qu'on croyait au Moyen Âge que la lumière divine se dégradait en couleurs plus ou moins parfaites, qui n'en étaient que des avatars dévoyés? Les bleus les plus bleus, les rouges les plus éclatants, les bruns les plus mordorés, les verts promesse de paradis… oui, toutes ces couleurs, toutes ces teintes, si magnifiques qu'elles fussent, n'étaient alors que des substituts plus ou moins réussis de quelque chose de plus absolu.

Alors Maybelene s'est mise à rire, à rire devant tant de naïveté. Elle disait que, bien sûr, l'amour variait avec chacun, qu'il pouvait être plus ou moins intense, bref, que oui, il existait bien une échelle dans les degrés d'amour. Je n'osais pas lui demander sur quelle marche de l'échelle nous nous trouvions, d'après elle. Reposant sa coupe de punch sur la table basse, elle me plaquait des baisers sur les lèvres pour m'empêcher de continuer, et disait:

– J'aime bien.

– Quoi, le punch ?

– Non, maintenant. Ce moment avec toi. This moment with you.

Elle venait de m'apprendre qu'on n'aimait jamais de la même façon, que si l'amour absolu existait bel et bien, il allait peut-être falloir plus tard se contenter de sa version relative, voire de variétés un rien déflorées, plus vulgaires, moins exigeantes, dénaturées – comme ces plantes de serre que nous avions contemplées au jardin botanique en bas de Station Road, qui aspiraient à davantage de lumière sans pouvoir en espérer plus. Ces trois petits amis, à ma grande surprise, elle m'avouait qu'elle ne les avait pas tous aimés également, aussi profondément, aussi fort l'un que l'autre ; ainsi quand on demandait à quelqu'un « Tu m'aimes ? » et que cette personne répondait « Oui, je t'aime », cela ne voulait jamais dire la même chose.

57

Le cinéma était à demi vide, c'était un jeudi après-midi. Nous étions assis au milieu de la salle, Maybelene avait posé son imper près d'elle sur le siège voisin. Il flottait une vague odeur d'humidité, de renfermé et de pop-corn qu'on ne rencontrait pas encore dans les cinémas sur le continent. On était content d'être là, calé dans son siège, parce qu'il pleuvinait dehors et qu'on sentait une présence à côté de soi. On savait qu'avant le film comme avant tous les films, on jouerait « God save the Queen », et qu'il faudrait se lever. *La Planète des singes* venait de sortir, on avait vu quelques photos à l'entrée, on était prêts à prendre le risque que ce soit un film de série B, un quelconque truc de science-fiction, on ne se doutait pas du tout qu'il s'agissait d'un petit conte voltairien à l'âge atomique, d'une fable ironique parfaitement menée, au retournement final qui, lorsqu'on

quitterait la salle obscure, nous laisserait médusés
– une fable sur le destin noir de l'humanité avec
pour seule issue l'aube de recommencements très
incertains. Avant que le film débute, dans la semi-
obscurité qui s'était faite et pendant que passaient
les publicités, j'avais cherché les lèvres de
Maybelene. Pourquoi les lèvres de certaines
femmes sont-elles parfois si brûlantes ? Comment
arrive-t-il qu'entre mille baisers, qu'entre toutes
les femmes qu'on embrasse, surgissent tout à coup
des lèvres qui aient la fièvre ? Un baiser brûlant est
une chose extrêmement rare, c'est la seule conclusion qui s'impose. J'avais trouvé les lèvres de
Maybelene plus brûlantes que je ne le croyais possible, tant, dans son corps, quelque chose affluait
d'un foyer ignoré pour répandre sa chaleur sur sa
bouche, et éclore dans ce baiser qu'elle me rendait.
C'était un baiser de cinéma qui était descendu de
l'écran, le baiser même qui avait donné lieu à son
propre stéréotype, il avait choisi les lèvres de
Maybelene et les ouvrait à demi, errant dans leur
blessure, un tendre moment. Charlton Heston
fermait les yeux, écrasait son engin spatial dans un
décor de grands canyons incandescents. *La Planète
des singes* commençait.

L'humanité était retournée à l'état sauvage,
elle fuyait dans des champs de maïs et d'herbe

haute, terrifiée par des gorilles en armes, montés sur des chevaux, et capturant leurs proies par grappes, les ramenant dans leurs filets. Je découvrais les premières images tout en sentant la présence pleine et délicate de Maybelene dans le siège à côté du mien, j'avais le bras qui entourait ses épaules, la partie inférieure de la paume de ma main reposant légèrement près de son cou. Entre le héros et une jeune sauvageonne de son espèce à demi dénudée et privée du langage humain, les échanges se réduisaient à des mimiques. Je passais et repassais un doigt à la commissure chaude des lèvres de ma voisine et elle se laissait faire, elle accentuait même le mouvement de sa bouche, elle allait et venait contre mes doigts auxquels elle s'ouvrait, majeur, pouce, annulaire, c'était selon.

58

Un peu plus tard, au Shalimar, tandis que Nasir, le serveur indien, passait de table en table avec du thé au jasmin, j'apprenais d'elle que si j'avais voulu, quand nous regardions *The Face* de Bergman, ou quand nous partagions un repas sur le toit du Arts Restaurant, j'aurais pu l'embrasser, modifier la trame de nos jours bien plus tôt. Elle me répétait qu'il y avait eu plein d'occasions que je n'avais jamais vues, bien avant Felixstowe.

– Tu ne les as pas saisies, tu n'as pas su…

Il était minuit passé. Nasir aux grosses moustaches nous avait fait cette faveur d'une belle nappe propre et blanche après la tablée qui avait précédé; il avait déployé magistralement sous nos visages, dans un grand vent, dans un claquement, ce qui apparaissait comme l'immense aile virginale d'un oiseau marin se posant doucement, délicatement sur la surface de bois, devant nos yeux soudain eux aussi neufs et lavés. En attendant le repas, nous comparions nos montres-bracelets – le temps qui passait – comme si nous les découvrions pour la première fois, tant elles ressortaient sur toute cette blancheur et sur nos poignets.

Nasir, apportant les assiettes, nous demandait si nous voulions un peu de thé au jasmin et, nous concertant du regard, nous avons acquiescé. Il est reparti en sifflotant vers les cuisines. Je disais que dans chaque situation tout l'univers était présent. À chaque instant. Et j'expliquais à Maybelene que tout l'art d'écrire tenait à faire s'écouler l'univers entier comme à travers le chas d'une aiguille.

59

Entre elle et moi, il y avait cet éblouissement, mais elle craignait de n'être qu'un éblouissement parmi d'autres. Elle ne voulait surtout pas que je la considère comme « one of those other girls », comme l'une de ces autres filles dont il m'était arrivé de lui parler – ainsi qu'elle-même de ses trois petits amis –, alors que nous étions allongés sur le gazon d'un college où des étudiants disputaient une partie de croquet, et quand nos propos sur notre vie d'avant ne semblaient pas prêter à conséquence – au contraire, on en riait de ce passé, maintenant si lointain qu'on en était à coup sûr débarrassés, définitivement à l'abri du simple fait que nous étions ensemble. Elle croyait que j'avais eu « un tas de filles ». Franchement, j'en avais eu très peu. Mais je la laissais croire. Elle m'a demandé si celles que j'avais eues, je les avais aimées, au moins. Elle me regardait intensément, je ne savais que lui répondre. Dans ses yeux, je voyais alors s'allumer une lueur de reproche, presque de commisération, comme si j'avais trahi quelque chose.

On se relevait, on marchait le long de la berge. Maybelene s'accrochait à mon bras.

– Avec moi, c'est agréable ? demandait-elle.

Elle ne parlait que de l'effet que me procurait sa présence, peut-être de nos baisers. Mais c'était surtout une question piège. Elle ne voulait surtout pas qu'avec elle ce soit simplement « agréable ».

60

Dans la soirée, elle s'est rendue avec Sakai au Stable Bar. Nous n'étions pas toujours ensemble, chacun gardait sa part de liberté. Telle après-midi, Maybelene projetait d'aller au bowling où je pourrais la retrouver, si je voulais, « if you want to see me », disait-elle comme pour m'éprouver, à moins qu'elle n'aille lire les journaux à l'Oversea Club. Sakai l'avait invitée en lui demandant si ça ne lui dirait pas de « rencontrer des gens plus intelligents ». Tout compte fait, Sakai avait peut-être raison. Je me demande si Maybelene n'a pas fini par suivre son conseil – Maybelene et moi, nous suivions des chemins qui n'ont coïncidé qu'un temps. Je suis persuadé qu'elle ne rencontre aujourd'hui que des gens très intelligents. À partir d'un certain moment, elle n'a plus fait partie du même monde que moi, elle a continué de s'ouvrir et d'explorer, selon une ligne constante. Tandis que j'ai reflué. Ou alors, j'ai avancé selon des voies si incertaines que les effets ont pu n'apparaître qu'en donnant une impression d'imprévu, n'émettre des signes d'existence qu'à la façon épisodique des cachalots remontant lâcher leurs jets. Avant même que ce fût l'heure, Sakai le savait. Pourtant, je ne pense pas qu'il songeait spécialement à moi en formulant son offre ainsi. C'était de sa part une simple invite à autre chose – encore que je doute qu'il ait eu une très haute opinion de moi. Je devais à ses yeux manquer d'ambition, être superficiel, facile, comme à Maybelene d'ailleurs. Maybelene elle aussi s'amusait à me lancer des piques, « Tu es superficiel, dis, tu es superficiel ? » C'était même un peu cela qu'elle aimait en moi, si elle aimait quelque chose, cette légèreté, au même titre peut-être qu'elle aimait la chanson française, Trenet par exemple, qu'elle avait vu sur scène à Paris. Moi, au contraire, je m'étais toujours senti lourd et sérieux, je venais d'une ville huguenote, où l'on n'avait rien de la légèreté pétillante qu'on prête aux Français. Il y avait méprise. Ou peut-être pas, car depuis que je vivais ici, en Angleterre, je m'apercevais que cultiver la superficialité, ou l'apparence de superficialité, m'était une conquête, un atout. De même qu'on dit qu'« il y a du jeu » entre deux pièces de mécanique, il y avait du jeu dans ma personnalité : cette superficialité aidait à se dégager de soi, permettait, mine de rien, de retrouver à un autre niveau une certaine profondeur qui ne s'avouait pas comme telle. Je faisais serment de ne jamais m'ennuyer avec moi-même.

61

Aussi libre que Maybelene, repassant pour un instant dans ma chambre, je m'endormais à cinq heures de l'après-midi sur mon lit, en rêvant des bottes de Mr Jarman, remplies d'huile pendant la guerre de 14 pour éviter que ses pieds ne gèlent dans le froid des tranchées. Et, pendant qu'elle était au Stable Bar avec Sakai, je rencontrais Tina au Fontain, et Tina m'apprenait que Colette n'était pas là, que ça ne servait à rien de l'attendre, et je ne sais plus qui diable étaient ces Tina, ces Colette, ces Hélène, simples noms gribouillés en marge d'un cahier, qui me révèlent pourtant qu'elles ont bel et bien existé – et après que Tina m'eut dit que Colette ne viendrait pas parce qu'elle était à une party à King's College, elle et moi nous allions au Saint George and the Dragon où nous vidions rapidement une première pint of bitter, avant d'accueillir plus tranquillement la deuxième, bien pleine, débordante, fraîcheur du verre épais contre les doigts et mousse sur les lèvres. La Cam coulait en contrebas et le pub qui s'avançait sur l'eau était si chargé, si pesant, qu'on pouvait tout aussi bien l'imaginer se détacher de la berge et être emporté par le courant, la masse des gens et l'immense brouhaha dérivant sur l'eau noire, en rires et éclats de voix.

62

Puis Maybelene est partie trois jours à Londres.

63

En guise de diversion, Simon et moi, nous nous étions exceptionnellement retrouvés au Varsity à l'heure du lunch pour y prendre le petit déjeuner : jus d'orange, *hash browns, fried eggs sunny side up* – j'aimais beaucoup cette expression pour les œufs au plat : sunny side up, la face tournée vers le soleil. La landlady me posait chaque matin la question : « Chris, do you want your eggs sunny side up ? » Ça n'allait pas de soi, le blanc de l'œuf pouvait aussi bien être rabattu sur le jaune ; et celui-ci était alors encapuchonné, prisonnier d'une trop fragile robe de mariée, protégé d'un délicat hymen qui ne demandait qu'à se déchirer sous la moindre pique de fourchette, ou qui se déchirait sans même qu'on l'ait touché. Dieu seul sait pourquoi, mais voilà que ça commençait à perler, l'irréparable était commis, le jaune d'œuf s'écoulait doucement, lentement, sûr de lui, direction le bord de l'assiette – je n'ai jamais tellement aimé cette façon de procéder, j'ai toujours considéré cela comme une sorte d'incursion inconvenante sur la surface vierge de l'assiette, cette vie embryonnaire gaspillée mais tenace qui résiste à la vaisselle si bien qu'on a toujours peine à l'en faire décamper. Beaucoup sont comme moi : sitôt que le jaune fait mine de couler, ils mettent tout en œuvre pour enrayer cette fuite inconcevable, ça devient une course de vitesse, on aménage de petits obstacles ; de la fourchette ou du couteau on ramène les hash browns et on dresse des mini-barrages, on voudrait que les choses ne suivent pas leur cours, tout cela en vain, bien sûr, car le jaune d'œuf finit toujours par triompher, on finit toujours par assister au triomphe du jaune d'œuf.

Donc, ces œufs sunny side up, on s'efforçait de leur conserver leur statut le plus longtemps possible, en ne rapetissant l'espace autour d'eux que très progressivement. D'autant qu'allant en général par joyeuse paire, ils paraissaient toujours promettre et contenir une belle journée, ils se montraient de bon augure. C'était une merveilleuse invention langagière, ces œufs sunny side up, une expression qui ne pouvait être née qu'au pays des embruns, des landes de bruyères, de Sherlock Holmes, des falaises de grès blanc qui s'abîment abruptement dans la mer du côté de Torquay, avec au loin des pêcheurs sur leurs chalutiers, tirant et halant leurs filets. Les œufs sunny side up étaient une invite à prendre la vie du bon côté, un double clin d'œil qui vous remettait sur pied à l'aube de chaque journée, à la lisière de ces matins, je l'ai déjà dit, si chers à Thoreau et si bien compris par Nietzsche.

En même temps, j'étais assez d'accord avec l'idée des anciens Grecs selon laquelle il existe bel et bien au-dessus de nous une fatalité, des zones d'ombre et de lumière, de malheur et de bonheur, de bonheur à l'intensité capricieuse, sous lesquelles on se trouve involontairement placé, et qu'on doit se contenter de regarder défiler comme des nuages plus ou moins bien disposés, paisibles, sombres ou écrasants, quoi qu'il en soit hors de notre portée et de nos actions. Il y a comme ça dans la vie des choses auxquelles on ne peut rien, ou si peu, juste de quoi se donner une illusion de liberté ; on a cru modifier un instant le cours des événements, mais au bout du compte on s'aperçoit que ça n'a été qu'une impression creuse. Je me disais qu'après tout l'idée de destin n'était peut-être pas si démodée que cela.

Le patron du Varsity, un Grec à l'accent redoutable et tranchant, tirant une chaise qui raclait bruyamment le sol, décochait à chaque client qui poussait la porte un « Please, sit down » si impérieux qu'il était risqué de ne pas obtempérer. Il venait de nous apporter l'addition et nous guettions l'arrivée de Barbara. Une fille que nous n'avions jamais vue l'accompagnait, une amie à elle qui s'appelait Jennifer : un alliage assez réussi de classe, d'intelligence et de beauté venu d'Exeter lui rendre visite pour le week-end, et qui s'évertuait à ne pas paraître trop snob. N'empêche, d'emblée, quand on commençait à parler avec elle, on comprenait qu'il faudrait placer la conversation à un certain niveau, et s'y tenir. J'ai tout de suite remarqué que Simon avait un faible pour elle. Riant aux éclats à l'idée même de cette journée qui nous attendait, il nous a rapidement conduits au bord de la route. Je les suivais tous les trois à pas presque réticents, avec le sentiment qu'il manquait tout à coup une carte dans mon jeu.

64

Simon avait une passion pour les vieilles voitures décapotables comme on n'en découvrait nulle part ailleurs qu'au détour des petites routes de campagne, traçant leur sillon et semant leur ronron bruyant et désuet dans les verdures silencieuses, avec toujours au volant, à droite, un bonhomme casquetté qui ressemblait à John Steed jailli de la série télévisée *The Avengers* (*Chapeau melon et bottes de cuir*) et si possible une Madame Emma Peel à ses côtés, cheveux auburn flottant au vent, image du couple moderne tel qu'on le rêvait sans le savoir encore, parfaite égalité des sexes et surtout une distance pleine d'humour et d'ironie dans la relation. Simon avait persuadé un garagiste de lui confier une « petite merveille » pour le week-end. Nous sommes tous montés à bord, direction Grantchester.

Grantchester se situe le long de la Cam à deux ou trois miles de Cambridge ; en plein verger s'abrite entre des arbres fruitiers un lieu judicieusement nommé The Orchard, un jardin sauvage avec une petite baraque de bois où l'on sert du thé, des cakes et des pastries, et où vous accueillent par ordre disséminé des chaises longues vétéranes au tissu fatigué à larges rayures bicolores, bleues et blanches, rouges et blanches. Quand on s'y laisse choir, on a chaque fois l'impression qu'on va malencontreusement heurter le sol du postérieur, puis, passé la sensation pendant une fraction de seconde d'une chute sans fin, au dernier moment, on s'aperçoit qu'un bon sort nous a rattrapés. C'était un endroit où l'on pouvait être heureux. On s'est abattus là de la manière la plus confortable qui soit, à tel point qu'on n'avait plus la moindre velléité de bouger. Les Anglais adoraient ça, et nous aussi. Je me demandais juste pourquoi Maybelene n'était pas avec nous.

Le jardin, en quelque façon, était livré à son instinct naturel : rien des géométries, des allées, des rectangles et des bouts de carrés à la française, mais tout au contraire un doux abandon, un laisser-aller têtu. L'herbe restait haute et folle, percée et soulevée de petits monticules terreux, les fruits n'étaient pas ramassés mais pourrissaient là où ils avaient roulé, on s'attendait à tout instant à voir apparaître une fillette poursuivie par un lapin blanc ou l'inverse. Une partie du charme tenait à ce qu'il n'était pas prévu que quelqu'un vienne prendre commande aux tables dispersées dans la petite prairie ; entre elles était ménagé un espace de bon aloi, assurant la *privacy* de chacun. Au débit de boissons, rudimentaire comptoir de bois supportant théières, cakes et pastries, s'animaient deux grasses Anglaises aux gestes lents. Après avoir généralement patienté derrière deux ou trois personnes, ne jamais oublier – le conseil est de Barbara – de réclamer un peu de crème battue pour chapeauter ses pâtisseries.

Malgré les efforts de Simon, l'auto ne voulait plus quitter cet endroit. Simon a fini par passer un coup de fil au garagiste qui, pas vraiment étonné, lui a dit de la laisser sur place, elle ne risquait rien « at the Orchard ».

On a commandé un cab. Une fois de plus, calé sur l'une des banquettes arrière, j'observais comme on peut être plaisamment assis face à face dans ces taxis anglais, deux des passagers tournant résolument le dos au conducteur et regardant vers le passé qui s'enfuit, les deux autres orientés vers

171

un avenir qui se rapproche à moyenne allure, l'ensemble donnant vaguement l'impression qu'on tient salon, qu'on est installé en bonne compagnie – ces véhicules cherchaient visiblement à vous convaincre que, même en roulant, activité cahotante en somme assez vulgaire, on peut préserver une certaine politesse et un art de vivre.

Mr Wright nous l'avait appris quelques jours plus tôt : si authentiquement *british* qu'il paraisse, « cab » est en réalité un abrégé du mot français « cabriolet », lequel vient tout simplement de « cabriole » qui, lui, descend en droite ligne de « cabri », c'est-à-dire du petit de la chèvre, lequel, sitôt jailli du ventre de sa mère, se met à bondir en tous sens par saccades, à partir de-ci de-là, à détaler de manière déconcertante, à multiplier sauts et écarts dans les directions les plus imprévisibles, saisi par la joie pure d'exister subitement dans l'espace et le temps, en trois dimensions, et d'en faire l'expérience, de l'éprouver toujours plus sûrement. Dans un cabriolet, puis dans un cab, toutes proportions gardées, c'était donc un mouvement de même nature qui continuait de nous animer, qui nous secouait et faisait que mon épaule venait parfois heurter celle de Jennifer. Que s'était-il donc passé ? Cabrioles, sauts, voltiges, caracoles, tout cela entretenait certainement des liens avec l'esprit même du rock'n'roll – qui se cabre, se révolte –, oui, qui réside tout entier dans cette même idée de virevolte, de soulèvement et de feintes rébellions. On avait mis sur scène une certaine femme, on l'avait placée dans la boîte à illusions, on avait opéré quelques passes, prestement retiré un drap blanc et, par une singulière révolution, une acrobatie intempestive, c'était une belle élégante, une tout autre femme que celle que vous attendiez qui surgissait là, à votre côté, sur la banquette arrière du cab, pour vous tenir des propos élevés mais bien ennuyeux que vous n'écoutiez d'ailleurs pas. La brise s'engouffrait par la vitre baissée. Maybelene ? Disparue, en suspens, dissipée dans l'air fantomatique, flottant néanmoins encore ici et là, car je pouvais toujours sentir son parfum au fond de moi, cependant que j'entendais à l'extérieur les éclats de voix de Simon, Jennifer et Barbara.

65

Quand nous sommes arrivés devant le Rose Jazz Club, un orchestre qui jouait du très bon New Orleans entamait « Mahogany Hall Stomp » d'Armstrong. On entendait, au premier, se succéder des solos de trompette et de clarinette, qui ressortaient et fusaient par la fenêtre ouverte, et le rugissement abrupt d'un sax avant qu'un discret banjo ne réclame pour une minute le devant de la scène – tout cela sous les applaudissements d'un public généreux. Simon est très vite parti avec Jennifer chercher des boissons au bar, Barbara est tombée sur Colette et pendant que les musiciens enchaînaient sur « Caldonia », je me demandais, avec un petit serrement de cœur, ce que Maybelene faisait à Londres pendant tout ce temps-là.

Un peu plus tard, mêlés à la cohue, nous nous sommes retrouvés tout désemparés sur le trottoir

– l'air était devenu plus frais, on sentait l'odeur de la rue, du bitume, les effluences de la roulotte du marchand de hot dogs un peu plus loin sur Market Place. C'est alors que Barbara a proposé, comme ça, sans prévenir, de but en blanc, devant Simon et tout le monde, qu'elle et moi, nous allions le lendemain soir manger ensemble, « Rien que nous deux, hein, d'accord ? » Simon a ri, accroché Jennifer par la taille et dit : « Bon, alors moi je prends Jennifer ! » C'était une figure très rock'n'roll.

J'aimais beaucoup chez Barbara cette façon de sortir ses griffes et de passer à l'attaque quand l'occasion s'en présentait. La soirée s'est poursuivie chez Tess. Barbara, au milieu du brouhaha, des rires, des bols pleins d'amandes, des « Cheers ! » et des « Oh no, you don't mean that ! », est immédiatement venue me rejoindre sur la chaise Le Corbusier. C'était une drôle, une curieuse chaise longue d'intérieur qui avait jadis flirté avec l'esprit nouveau, un objet intrigant que l'on ne savait guère comment aborder, qui se refusait, comme ces prudes qui serrent les cuisses, recroquevillées, et dont on ne rencontre jamais que le dos rond, si habiles sont-elles à se rendre insaisissables, selon une stratégie de la tortue qui leur appartient en propre. « Bien sûr, avec

Le Corbusier, une chaise n'est plus tout à fait une chaise », avait prévenu Tess lors de notre première visite, au moment des présentations. Avec ses tubes d'acier à inclinaison variable supportés par un chevalet de métal gris-noir, fonctionnelle, ergonomique et, pour tout dire, d'un abord dangereux, elle était un appel à de subtils mais possibles basculements. Si toutefois vous l'approchiez gentiment, cette chaise, ou ce fauteuil – ce truc était si singulier que nous lui cherchions vainement un nom de baptême –, bref, cet objet d'art vous faisait de progressives concessions. Il n'était pas sûr du tout qu'il fût confortable, il suggérait même l'inconfort. Mais si l'on en trouvait l'ouverture, il se livrait d'un coup, sans plus de retenue, il cédait volontiers, et l'on entendait alors la personne élue s'exclamer, tout excitée : « Look ! My God, did you ever try that Le Corbusier chair ! Really fantastic ! »

Le mot « fauteuil » a quelque chose d'accueillant, sans doute parce qu'il rime avec « accueil ». Le plus souvent, un fauteuil vous tend les bras, si bien qu'en anglais, prenant acte de cette bonne disposition, on dit « armchair ». Mais le terme convenait-il en l'occurrence, puisque cette chose, bien qu'inspirée du fauteuil Wassily imaginé par Marcel Breuer pour Kandinsky, n'avait pas de bras? C'était justement pour cette raison-là, cette absence de bras, qu'il était permis – l'initiative était d'elle – que Barbara s'y installe à califourchon face à moi. Elle portait un jean blanc serré, à l'entrejambe duquel saillait le renflement du sexe imperceptiblement creusé du pli de la vulve – mais pour boucher ma vue et pour que rien ne puisse me distraire, elle avait posé son visage juste devant le mien, profitant de l'espace minuscule qui nous séparait, si bien que nous nous retrouvions un peu comme deux gosses, une petite fille et un petit garçon, à cet âge où l'on prend conscience de l'exorbitante différence des sexes – elle et moi comme assis de part et d'autre d'une balançoire sur laquelle, d'un léger coup de reins, chacun propulse à son tour l'autre en l'air, dans un mouvement de va-et-vient qui reste encore tout un apprentissage enfantin.

J'étais à peine inquiet de ce que Simon pouvait penser de l'impraticable intimité que Monsieur Le Corbusier installait entre Barbara et moi – d'ailleurs il dansait avec Jennifer dans la pièce à côté. Et puis Barbara, qui aimait les feintes, a dit :

– Tu sais quoi ? Jouons à nous haïr, let's just pretend that we hate each other, okay, Chris ?

– But I don't hate you, mais je ne te hais point !

- Please, let's just pretend… s'il te plaît…

Après Marivaux, Corneille ? Barbara avait le goût du théâtre et connaissait sur le bout des doigts tout le répertoire. Nous formions ainsi un charmant petit machin bouillant de haine sur la chaise basculante Le Corbusier. Barbara, après chaque phrase, aspirait une rapide bolée de rage qu'elle me soufflait au visage, sa poitrine se soulevait joliment. J'aimais cette haine de Barbara, cette haine conquérante qui décrivait la même courbe qu'au cirque la patte d'une tigresse quand la cruauté jaillit de ses griffes et qu'elle ne rencontre que le vide, car le dompteur connaît son métier. Miaulant, piégée sur son siège infamant, sur le trône humiliant amené pour elle en pleine lumière et qu'elle ne peut quitter, maintenue par la menace invisible du fouet, toute cette beauté perverse me décochait d'incessants petits coups de griffe, en souriant de toutes ses dents qui brillaient. Je lui lançais moi aussi des piques, et il était difficile de dire si ce qu'elle émettait alors étaient de faibles rugissements, des ronronnements, ou des ébauches de gémissements, annonçant qu'elle était prête à céder, après tout – et que tout ce jeu précisément n'avait d'autre but que de la lui permettre. Quelque part dans sa mémoire, le gamin ciné-phile que j'étais laissait revenir à lui des images nées à d'autres occasions, *Le Cid*, par exemple, que j'avais vu à douze ans, avec Sophia Loren dans le rôle de Chimène, avec Charlton Heston aussi, cette drôle d'histoire d'un double duel, pointes de fleurets.

Quand on a quitté la chaise Le Corbusier, elle a dit : « Alors, t'es d'accord, on part ensemble le week-end prochain ? »

66

C'était le soir où je devais revoir Maybelene, si elle ne rentrait pas trop tard de Londres, où sa famille était en visite. Elle les avait rejoints pour trois jours : père, mère, frère et même – elle n'avait pas su comment éviter ça – son ex-petit ami (le troisième, Franz). En milieu d'après-midi, j'avais pris un bain chez Mrs Jarman – je me baignais rarement, faute de temps, préférant la douche, et je n'aimais pas vraiment le voisinage de tous ces flacons étrangers, produits, lavettes, serviettes surveillant mes membres qui flottaient entre deux eaux, dans l'étroite baignoire, avec le bout de mon sexe pointant vers la surface, comme un cadavre blême qui remonte des profondeurs. Une fenêtre embuée donnait sur un coin de ciel bleu, et le carrelage des murs distribuait à qui les voulait des motifs très simples et hiéroglyphiques, aussi indéchiffrables que ceux de la tapisserie de ma chambre d'enfant où, à neuf ans, alité pour une petite grippe, j'avais lu *Mickey aviateur* dans une édition de 1948 – aujourd'hui un classique introuvable – quand chaque jour ma mère m'apportait de nouvelles lectures, vers onze heures du matin en rentrant des courses. J'attendais ce moment avec tant d'impatience : en échange d'une grippe, tout *Spirou*, quatre ou cinq fascicules *Artima*, les derniers *Tarou*, *Vigor* et *Tim l'Audace*, avec en sus, parfois, une histoire complète en album cartonné. Dont ce *Mickey aviateur* : de son avion muni d'une unique hélice, Mickey perçait cumulus et nimbus et, au-dessus de ceux-ci, découvrait toute une machination dont nous autres lecteurs, vous comme moi, n'avons pas idée ici-bas. La plupart des aviateurs ne revenaient jamais de ce voyage en d'autres zones et étaient portés disparus. Mais Mickey, lui, finissait par dissiper tous ces mystères. Voilà à quoi je songeais dans mon bain, lorsque la voix de Mrs Jarman se fit entendre du bas de l'escalier.

– Chris !

Il était 5 p.m.

– Yes, Mrs Jarman ?

– Chris, Chris, Tim is on the phone !

« Tim is on the phone ! » Il avait trouvé une invitation pour moi. Un carton pour deux personnes à dix pounds. Il suffisait que je passe ramasser ça demain à la loge du portier de Jesus College – « at the porter's lodge », disait Tim. Encore tout mouillé, et un résidu vicieux de shampoing dans les yeux, j'avais lâché « Thanks, Tim! That's great, you know, thank's a lot. – Well, that's okay, man. »

67

Puis j'étais parti louer un costume de Charlot, dans une échoppe de King's Parade. C'est-à-dire ce qu'on appelle en Angleterre un *evening dress* et, en France, un smoking (j'ai appris récemment d'une Australienne aux yeux verts que, chez elle comme en Amérique, on dit « tuxedo », et qu'elle-même en met un parfois pour épater les gens dans les parties et hausser d'un degré son sex-appeal, confusion des genres que tous les mâles lui pardonnent). Bref, encore l'un de ces mots qui aiment à se faire passer pour ce qu'ils ne sont pas, caméléonesques, opportunistes en diable, changeant de sens selon le lieu et le moment, désireux d'en jeter. Je me doutais que j'allais bien faire rire Simon, lui qui avait le sien, de smoking, d'evening dress ou de tuxedo depuis belle lurette (lurette : tout aussi trompeur. Laisse croire qu'il compte parmi ses cousins le verbe

« lure » en anglais et le mot « leurre » en français, et que tous trois se tiennent à égalité sur la même branche d'un arbre généalogique, alors qu'il n'en est rien, bien sûr. Dans sa joliesse, l'heurette, la « petite heure », espère simplement atténuer la dureté du temps qui s'enfuit. En revanche, blues et bluette, même étymologie). Simon était pratiquement né avec, nœud papillon noir, veste dont les revers moirés et soyeux quittaient d'un commun accord les épaules pour glisser selon un arrondi bien net et affirmé jusqu'à hauteur du nombril, où les pans se rejoignaient et se refermaient sur un ou deux boutons nacrés, c'était selon, et chemise étourdissante de plis superposés comme les lamelles d'un store vénitien chutant subitement derrière le bureau d'un détective privé, dans un polar américain ou un tableau de Hopper. Les Anglais adorent mettre un evening dress – et les filles robe longue et beaux atours – à la moindre occasion : j'ai vu de mes yeux des files immenses de Britanniques, comme sortis d'un seul coup d'un tableau surréaliste, faire ainsi vêtus la queue devant les cinémas où passaient les dernières nouveautés. Un evening dress était dans ma vie une expérience nouvelle, d'ordre existentiel, tant il est certain que l'habit fait aussi le moine – pourquoi les gens se changeraient-ils, sinon pour fausser compagnie à leur propre compagnie, déjouer leur identité, et oublier au travers de ce semblant de métamorphose leur état de ver nu emberlificoté depuis quinze mille ans dans toutes sortes de drapements, étoffes, dont n'importe quel voyageur intergalactique inopinément débarqué d'une étoile lointaine, horrifié, écraserait les aspirations du talon comme nous le ferions d'une chenille prétentieuse? Chaque fois qu'au cirque entre en piste un chimpanzé habillé d'une jupette ou d'une culotte à bretelles, ce n'est certes pas le singe que je vois, mais notre propre espèce issue au fil de quelques milliards d'années d'un assemblage de bactéries innommables. Toujours considérer les façons de se vêtir dans une perspective historique... Conjugué au passé, tout habit est grotesque et ridicule. La mode est là pour ça, pour tenter de nous le faire oublier; elle s'efforce de conjuguer l'habit au présent.

Je m'étais lancé dans deux ou trois essais sous l'œil hypocritement appréciatif du marchand qui s'en foutait, il faisait profession de voir surgir par la porte chaque fois qu'elle tintait des étudiants démunis d'evening dress, leur donnant néanmoins du *Sir* en les aidant à passer et retirer une kyrielle de vestes. L'heure était tranquille, il n'y avait que lui et moi dans cette boutique assombrie par tant de smokings, et il avait l'avenir devant lui pour me prodiguer négligemment ses avis, pour me façonner à sa guise, pour tirer ce qu'il fallait de cette grossière pièce de bois brut, et mettre au point son Pinocchio du jour. Le principal problème, c'était qu'une portion de la marionnette résistait, se défilait, refusait obstinément de céder aux efforts et aux intentions ; quel que fût l'habit – et il en existait d'infinies variétés qu'un Nabokov amateur de smokings eût aimé épingler dans sa collection –, le pantalon était toujours un zeste trop profond en sa partie postérieure, me dessinait des cuisses bien trop larges, enflait ma silhouette à partir de la taille et, tout bien considéré, par cet effet de tassement et de rapetissement, finissait par me transformer en nain. « Qu'importe ! qu'importe ! disait l'autre, that's not a real problem », puisque la veste – aucune raison que je la tombe, n'est-ce pas ? – allait dissimuler tout ça, et me rendre toute la sveltesse et l'élan requis pour donner le bras à Maybelene. Sans être originale, la remarque était judicieuse. Les stoïciens ont bien compris qu'il est nuisible, en tout, d'aspirer à l'idéal. Pour compléter cette réussite, j'avais encore loué une paire de souliers d'un noir si verni qu'ils donnaient l'impression d'être plastifiés – le marchand poussait d'ailleurs son argument et m'expliquait qu'ils étaient waterproof : ils ne donnaient pas simplement l'impression d'être en plastique, ils l'étaient effectivement. C'était le genre de chaussures qui accompagnaient naturellement un evening dress, à cette époque en ce pays ; tous les individus de genre masculin que j'avais jusqu'ici aperçus en evening dress en portaient de rigoureusement identiques. Et je suis sorti de là comme Stephen le héros, les pieds ailés, avec tout le fourbi empaqueté et pressé sous mon bras.

68

Vers dix heures du matin – sans doute rentrée trop tard de Londres, elle n'avait pu appeler la veille –, j'avais glissé un mot sous la sonnette de la bicyclette de Maybelene adossée devant l'école à l'arbre familier, bicyclette que je revoyais pour la première fois depuis plusieurs jours, éclatante de présence, bien là, ressuscitée d'entre les morts avec son guidon qui pointait ardemment vers un ciel aujourd'hui très bleu. Sur ce mot, je lui disais que je l'attendrais devant le café qui se trouvait à deux pas, « just round the corner », face au jardin botanique. « I'll wait there for you. »

69

Elle s'est avancée vers moi en souriant; de loin déjà, j'avais vu qu'elle souriait. Elle portait ses jeans et son pull bleu clair, un diadème de velours noir sur ses cheveux toujours aussi chatoyants. Puisque ça n'était qu'à deux minutes, elle avait laissé son vélo contre l'arbre et descendait la rue à pied. C'était comme dans une scène de duel des westerns de mon enfance, comme si elle avait détaché sa ceinture d'armes, laissé choir dans la poussière doubles colts et cartouches, et qu'elle venait plus nue que jamais vers moi. Tous deux désarmés.

– How did you get on?

– Well, it went well.

Je ne l'avais pas touchée, ni même effleurée. Elle se tenait juste en face de moi sur le trottoir, souriante. Des mots stupides et superficiels sortaient de ma bouche. De ma vie, je n'avais été aussi gêné, si plein d'un embarras que, clairement, elle ne partageait pas le moins du monde. Pourquoi était-ce à moi d'être embarrassé ?

– Would you like to have a drink ?

Non, elle ne voulait pas, elle n'avait pas soif. Nous avons récupéré ma bicyclette et la sienne, et pédalé jusque devant King's College, puis, renouant avec l'habitude, nous avons marché le long de la Cam, *along the riverbanks*. Je lui ai demandé quelle était la situation, « What's the situation ? » Elle disait qu'elle était « tout à fait naturelle », « quite natural ». J'aurais préféré qu'elle dise « il n'y a rien de changé » ou « I just love you more than I have ever loved anybody else, I love you so much ! » Mais j'avais introduit ce mot de « situation ». « The situation is quite natural. » Parfaitement naturelle, disait-elle.

Comme j'avais peine à trouver qu'elle le fût vraiment – qui veut d'un bonheur trop facilement retrouvé ? on n'en veut pas, on lui botte le cul –, elle me reprocha au bout de quelques minutes d'être « méchant », l'un de ces mots que les petites filles adressent aux petits garçons quand ils ont entre trois et quatre ans, qu'ils sont fâchés, et qui revenait de très loin sur ses lèvres, peut-être parce qu'elle n'en connaissait pas de plus approprié en français et qu'il avait le mérite de la simplicité.

Heureusement, la lumière autour de nous éclatait en mille touches de couleurs claires et l'eau de la rivière était transparente. Étendu, je sentais dans mon dos le gazon frais et la pression légère de sa poitrine contre la mienne. Tout était très léger, délicieusement superficiel, pur festival d'apparences ; nous nous étions relevés et nous passions et repassions dans les allées. Quelque part, il y avait de l'être qui se promenait, on le sentait, de l'être qui envahissait l'atmosphère, qui partait et revenait, qui reprenait corps en même temps que nous lorsqu'on se redressait pour continuer la balade après nous être allongés le long des riverbanks, et qui s'asseyait sur les mêmes vieux bancs de bois que nous quand on s'y installait de longues minutes, pour y retrouver nos baisers. Il y avait de l'être qui se reconstituait, se réjouissait (et même qui jouissait sur les bancs), de l'être qui se remettait à exister. « Rose petals on a swan », chantait Mike l'autre nuit. Oui, c'était comme des pétales de rose tombant délicatement sur la blancheur d'un cygne qui s'en allait.

« Tout ça n'a vraiment pas d'importance, je te promets », disait-elle, et elle sautait à mon cou, m'entourait de ses bras comme une écolière, ça ne portait pas à conséquence, et il est rare qu'il ne faille pas au moins un intrus dans un texte, s'amusait-elle, tout texte a son intrus, oui mais qui survient généralement bien plus tôt dans le cours du récit, rétorquais-je, ajoutant que l'intrigue dans le roman m'avait toujours paru la chose la plus vulgaire, qu'il ne devait pas avoir besoin de ça pour tenir debout, sauf dans ceux qui avaient captivé mon enfance, auxquels je pardonnais tout, mais qu'en dehors d'eux, non, un bon roman, disais-je, est comme un ballon pleinement gonflé par le souffle d'un gosse, dont il finit par lâcher la ficelle, et qui s'échappe dans le ciel au gré des airs, ou alors comme un solo de guitare à la Clapton, qui se joue pour le seul plaisir de se jouer lui-même sans autre nécessité que celle du son, mais surtout, oh non, surtout qui ne raconte rien, ou presque rien – qui ne fasse qu'égrener quelques notes avant de mourir, et qu'en conclusion nous pouvions nous passer de ce Franz.

70

À 3 p.m., Maybelene avait demandé à sa landlady si elle pouvait utiliser la salle de bains, de la cuisine lui était parvenu un « take all your time, my dear », elle s'était dévêtue et glissée dans l'eau, où elle avait déversé le contenu d'un petit flacon. À 3.15 p.m., seuls la pointe de ses seins et l'arrondi de ses genoux émergeaient d'une mousse étincelante. Elle pensait à sa robe bleu ciel qui l'attendait dans sa chambre. À 4 p.m., je lisais *A Man For All Seasons* allongé sur mon lit. Mon evening dress était encore empaqueté, posé au sommet de mon armoire. À 6 p.m., la porte de cette même armoire était ouverte et le miroir qu'elle recelait me révélait à moi-même, tel que je serais ce soir-là : nœud pap, veste de smoking aux (trop) larges revers flashants, chemise éblouissante jaillie plus belle que nature de la blanchisserie, avec trois bons centimètres de bande plissée sur le devant dont l'utilité ne m'apparaissait pas vraiment, verticalement semée de points nacrés avec, à hauteur des poignets, des boutons de manchette qui me venaient de mon père : une aristocratique tête de chaton sur celui de gauche, une aristocratique tête de chien sur celui de droite, dont la couleur vermillon virait constamment, d'instant en instant, selon la lumière et l'inclinaison – dans mon enfance, pendant qu'il me faisait la lecture à haute voix, je passais des heures à regarder ce chiot et ce chaton, cette étrange paire qui se tenait fixement aux poignets de mon père, en une alliance me semblait-il d'irréconciliables contraires, d'un côté Démocrite, de l'autre Héraclite. Mon miroir me le disait, j'étais dédoublé : je n'avais plus du tout l'air de Charlot ; j'avais plutôt l'air de James Bond dans *Dr No* – et je savais qu'au même instant, de l'autre côté de la ville, dans une chambre à peu près pareille, dans un miroir à peu près pareil, Maybelene découvrait la plus belle des femmes.

Même mes pantalons s'étaient décidés à devenir élégants, et lorsqu'elle me vit sur son perron – le cab attendait au bord du trottoir –, Maybelene me complimenta sur mes souliers « dernier cri », tandis que sa landlady nous souhaitait « a real good night, enjoy yourself ». Déjà, le cab nous emmenait à travers la ville. À l'entrée de tous les colleges, couple par couple, des queues surnaturelles – la jeunesse elle-même – avançaient lentement, à pas menus. Cortège d'escarpins et de souliers vernis, de robes longues peu prêtes à tergiverser sur la finesse des hanches, chutant et se mouvant doucement de la taille jusqu'aux chevilles, miracles de chevelures enfantées par toute une après-midi de travail devant des miroirs toujours trop ingrats. Sur les tours moyenâgeuses se découpaient les silhouettes de joueurs de cornemuse en kilt, tirant de leurs instruments les sons qu'il fallait.

Rien à redire : la mise en scène était parfaite. Nous étions comme des figurines, saisis dans la réalité de nos dix-huit ans, ou à peu près, livrés sans pitié au dieu des illusions.

Selon une coutume qui remontait à plusieurs siècles, pour marquer la fin de l'année universitaire, la ville entière allait tourbillonner jusqu'à l'aube. Dans leurs parcs et leurs jardins, les colleges accueillaient sur des tréteaux les plus grandes stars pop de l'époque, les Kinks avaient été là, les Animals, Syd Barrett. D'immenses tentes étaient partout dressées sur des gazons d'un vert magnétique, bien au diapason, abritant des buffets où le vin rouge voisinait avec les strawberries. Des *waiters* et des *waitresses* proposaient des boissons sur des plateaux d'argent. Maybelene avait pris un Schweppes et moi un whisky. Nous sommes partis danser du côté du Spencer Davis Group, qui entamait les premières mesures de « Gimme Some Lovin ».

71

Minuit appartenait au passé depuis longtemps lorsque Maybelene, blottie dans mes bras car il avait fraîchi et elle se sentait soudain faible et éreintée, m'a confié qu'elle m'aimait « because I did what I wanted with her », parce que je faisais d'elle ce que je voulais – « and not the others », et qu'aucun autre ne l'avait fait. Je ne comprenais pas du tout ce qu'elle voulait dire, mais j'étais quand même content.

L'aube était sur le point de se lever, et les gens dansaient encore sur la rosée, leurs silhouettes mouvantes sortaient de la nuit comme d'un film de Fellini, diablotins, sylphes et farfadets, silhouettes incongrues, bizarres, déplacées, hors de propos, se trompant de réalité, élégants vampires qui avaient oublié qu'ils auraient dû se retirer avec les ténèbres, mais que l'aube accueillait poliment, *a real midsummer night dream indeed*, dans un décalage étrange, tableau de gens épuisés, déphasés, en habit et robe longue toujours en train de se démener, flottant légèrement au-dessus du gazon, portés par la vapeur du matin, s'élevant avec elle, littéralement en état de lévitation, évoluant à trois pouces au-dessus du sol, au petit jour et dans la musique pop. J'entendais confusément des mots jaillir de la bouche de Maybelene, de ses lèvres tout près des miennes, qui éclataient telles des bulles entre elle et moi.

Elle était euphorique et disait des choses du genre « Oh! comme tes yeux sont beaux ». Mes yeux étaient devenus beaux sous l'effet de ses paroles au petit matin. Un hymne montait maintenant sur la voix de George Harrison, « Here comes the sun… shine! »

Des types derrière leurs guitares balançaient encore des blues eux-mêmes fatigués, douloureusement jouissifs, tandis qu'ici et là se formaient des embryons de queue, comme si le peuple de Grande-Bretagne se souvenait de ses habitudes après un réveil qui n'avait jamais eu lieu: on servait des bols de soupe, on réchauffait sa fatigue, la soupe chaude était là pour tenter de nous ramener au réel, elle voulait que nos pieds touchent enfin terre.

Puis, tout ce monde a débordé sur les river-banks, s'est déversé vers les autres colleges s'échelonnant le long de la Cam, même scène de fantasmagorie matinale partout.

72

Le surlendemain, nous nous sommes procuré des raquettes et quelques balles chez Joshua Taylor. C'était la première fois que je jouais sur du gazon. Les balles rebondissaient et revenaient avec un curieux ralenti. Maybelene était encore plus maladroite, plus gauche que moi, et j'allais pouvoir tout lui apprendre. J'aimais cette allégresse qui était la nôtre, sitôt que nous pénétrions sur le terrain et que chacun s'installait dans son camp – « Ready ? – Ready. » On commençait à balancer les premières balles. Les deux courts de tennis, pas plus entretenus que ça, rien de sélect, se trouvaient un peu en dehors de la ville, non loin de chez Barbara. Le gazon n'était pas bien aplani et il arrivait qu'une balle nous prenne par surprise, choisisse à l'improviste une trajectoire inattendue, n'en fasse qu'à sa tête ; juste au moment où elle touchait le sol, elle se dérobait à toute logique, s'envoyait allégrement ailleurs, splendidement têtue, nous montrait en somme le chemin. L'heure de location était donnée. Une mince cabane abritait deux étroits vestiaires, l'un pour les filles, l'autre pour les garçons, et une seule douche. Chacun passait sa tenue en vitesse.

73

Un jour que la cabane était fermée, je me souviens que Maybelene s'est changée devant moi, à l'air libre, très rapidement, fugitivement, avec cet art savant qu'ont les filles de passer d'un vêtement à l'autre sans qu'on n'y voie rien, sinon du feu, juste alors au cœur une émotion brute et tout aussi fugitive, la virginité d'un tissu, un bref éclair blanc, seule permanence dans la méta-morphose, puis, ce tour de passe-passe accompli, elle se tenait là devant moi, en jupe blanche, T-shirt blanc, socquettes blanches et baskets, impatiente et souriante, fraîche et débutante comme le matin, deux balles dans la main – « On y va? Let's get on with it! » Ni elle ni moi ne nous étions habitués à ce gazon, et la douceur du vert, l'apaisement de la terre humble sous nos foulées était comme un acquiescement, la senteur de l'herbe se mariait avec celle de l'air – tout, la nature et nous-mêmes, paraissait plus léger. Chaque balle rebondissait avec une surprenante lenteur, presque avec pudeur, comme pour laisser le temps de réagir et de se placer. Entre nous, il y avait le filet, vaguement avachi et méditatif, ah! ces jeunes gens qui ne doutent de rien, qui ignorent tout du poids imperceptible et grandissant des années à venir, et qui sont là à échanger des balles, à les projeter par-dessus l'entrelacs de mailles lâches, usées, tremblotantes, agitées comme de vieilles villageoises dodelinant de la tête sur le pas de leur porte – et qui croient se jouer des pièges du filet! Une balle puis une autre... Cette balle fixait toute l'attention. Trop haut propulsée, elle s'égarait dans les airs, fantasque et folle, hors de propos, échappant au jeu, ou au contraire elle filait juste et droit où il fallait, là où une raquette altruiste la recueillait et la retournait – alors ce sentiment de possession, cette joie de sentir qu'on jouait véritablement ensemble, qu'à nous deux, par courts instants, on pouvait maîtriser un tant soit peu de l'espace et du temps. Ce pouvoir qu'on détenait ensemble scellait la promesse d'une réussite. Et quand la balle échouait, s'encastrait dans le filet, d'où on la dégageait, ça n'était même pas une entrave, au contraire, ces petits échecs répétés, ces petits arrêts aléatoires confirmaient, précisaient le but à atteindre. Ils disaient que rien n'était vraiment grave, que la gravité précisément – son poids –, cette balle fichée entre deux mailles comme dans un hymen à demi forcé, à moins que retombée sous le filet, pouvait être parfois sans conséquence. Soit on la dégageait des doigts, la balle était ressaisie sans qu'elle ait eu le temps de crier gare, soit elle se sentait soulevée entre basket blanche et bois de la raquette, pour repartir joyeusement dans la partie, oublieuse – rien n'était jamais définitif, tout restait possible, la vie décidément était intacte et belle. D'autres balles, délaissées aux quatre coins du terrain, attendaient leur tour, sûres que leur déréliction serait passagère et, en effet, quelqu'un, Maybelene ou moi, finissait toujours par les tirer de leur exil – avant qu'en fin de partie elles ne regagnent toutes leur boîte, comme des personnages de Beckett.

C'était un apprentissage de sa propre légèreté, de sa faculté à se mouvoir, à se jouer, à se surprendre et à se retrouver – à courir, bondir, rattraper, renvoyer in extremis ou très facilement ce petit concentré de destinée, bien rond et élastique. À chaque renvoi, une grâce accordée, le bruit sourd et mat de la membrane contre les cordes tendues, cette satisfaction, l'apprentissage de la justesse, de la vie juste. L'air autour de nous vibrait et nous vibrions avec lui, malgré nos maladresses. J'aime comme elle court, ai-je pensé. C'était encore une autre façon de se voir, une autre façon de briser la temporalité.

Un peu plus tard, je me suis placé à côté d'elle pour l'aider à améliorer son revers, et tout ce qu'un revers, cette petite victoire sur soi-même, implique comme changement de disposition d'âme et de posture. Le revers était de ces choses qui vous attendent au tournant : un revers était toujours une mini-épreuve supplémentaire soudainement infligée ; l'autre vous imposait à l'improviste une plus subtile difficulté, lilliputienne, dont on triomphait ou pas. Et quand on réussissait une série de revers, alors on savait qu'on avait accompli un pas de plus dans la confiance qu'on pouvait trouver en soi, et l'un dans l'autre. C'était toujours une victoire à deux, un peu plus de maîtrise acquise et partagée. On se montrait ensemble à la hauteur, fortifiés. Et tout cela ne passait que par la médiation d'une balle de tennis un rien compatissante et d'un terrain herbeux qui créait la lenteur nécessaire à un approfondissement et à un échange, comme dans un acte d'amour où les corps s'accordent le temps voulu pour la venue du plaisir. La maîtrise du revers était une promesse, mais elle n'était que cela, une manière de montrer le chemin.

74

En fin d'après-midi, quand nous sommes arri-vés devant l'entrée du Copper Kettle, et qu'elle s'est aperçue qu'elle avait oublié un instant plus tôt son porte-monnaie à la banque, elle m'a recommandé, en faisant demi-tour, d'essayer d'obtenir pour nous, « Tu sais, cette petite table ronde près de la fenêtre, near the window, où l'on est vraiment le mieux, tu ne trouves pas? don't you agree? – Yes, I do ».

Cette table était rarement libre, et on voyait tout de suite en approchant, à travers la vitre, si elle l'était ou pas. Si elle l'était, on savait qu'on n'aurait qu'à pousser la porte, à s'y installer, et que ce serait un grand petit bonheur, lorsque Maybelene surgirait quelques minutes plus tard, de lui montrer que le sort nous avait été favorable, qu'on avait trouvé et su garder la table ronde pour elle, et pour nous tous, car, peu après elle,

Barbara, Simon et Suliman franchiraient la porte à leur tour en s'exclamant « So you got it…, alors, vous l'avez eue? – Quoi? » La petite table, ce Graal, autour de laquelle ils prendraient place dans un général remuement de chaises. Il serait très difficile d'expliquer pourquoi cette petite table près de la porte était le meilleur emplacement du monde, mais il l'était, c'est tout.

75

Les cours devenaient de moins en moins importants dans nos vies. À la pause, Suliman nous avait remis quelques photos couleur prises quand il nous avait invités à partager un curry dans sa chambre. « Those prints are for you. – Oh thanks, great that you thought of it. » Il nous les tendait avec un pauvre sourire. Ces photos étaient sûrement censées sauver quelque chose, mais on ne savait exactement quoi.

Lui et Sakai ne pouvaient plus guère que nous regarder enfourcher nos bicyclettes et disparaître dans la brume du matin. Bientôt, nous n'étions plus que des signes énigmatiques et zen filant à l'horizon dans le soleil, des sortes d'abstractions incompréhensibles dans la campagne et le lointain.

En chemin, avant la sortie de la ville, nous nous étions arrêtés devant une épicerie pour acheter une bouteille de cidre – très encombrante mais qui serait d'un recours certain à un moment ou l'autre de la journée, ainsi que deux barres Mars. Maybelene disait que je devais absolument goûter un Mars au moins une fois dans ma vie (« Comment ? tu ne connais pas les Mars ? Combien d'années avais-je vécu sans Mars ? »). Sur la route, quand nous pouvions, et c'était assez souvent car les voitures ne se bousculaient pas, au contraire, il y en avait très peu, nous roulions côte à côte et nous entendions le fluide bourdonnement très particulier que produisent les rayons des bicyclettes lancées à toute vitesse, tourbillonnant si vite qu'ils en anéantissent le réel : n'existait qu'un délicat cliquetis rapide et régulier, la musique des rayons associée au frottement de l'air. Je me disais que le mot de « bicyclette » était si heureux qu'on pouvait analyser la succession de ses trois syllabes, « bi-cy-clette », exactement comme Nabokov jouissait de la musicalité du nom de sa Lo-li-ta, sans que cela fût aucunement moins intéressant. Lorsque la route était en pente douce, qu'on cessait un instant de pédaler pour se redresser sur la selle, jouir de ce répit et sentir l'air frais contre son visage, on percevait le léger murmure du dérailleur et de la chaîne, elle aussi libérée.

Nous avions quitté la ville par Huntington Road, les champs de blé ondulaient sous la brise, nous avons roulé sur des chemins glissants et boueux ; parfois on stoppait brièvement, on posait pied à terre, et quand elle était ainsi sur sa bécane, à demi penchée dans le soleil, sur la pointe de son pied droit, je voyais un muscle dont j'ignorais le nom tendre sa cuisse, juste au-dessus du genou, et accentuer le galbe de son mollet bruni par toutes nos virées. Comme on longeait maintenant une haie, j'ai attrapé pour elle une églantine qui vacillait au bout de sa tige. Elle l'a portée à la boutonnière de sa jaquette, tel « le ruban de la Légion d'honneur ». Au bord d'un ruisseau, elle a aperçu un castor qui ne m'a pas laissé en faire autant. « Tu le vois, dis, tu le vois ? » Non, il avait déjà disparu.

On roulait plus loin. On approchait de Madingley, un tout petit village, l'heure était venue d'avoir faim, on a stoppé devant un pub campagnard ; on s'est assis à l'extérieur, sur la terrasse, et on a commandé saumon, salade, *bread and butter* et jus d'orange. C'était un bon moment. On se chauffait au soleil.

Un peu plus tard, nous marchions comme s'il était question de jamais nous arrêter : les champs et les bois nous avalaient sans discontinuer, la bouteille de cidre se balançait au bout de mon bras, lourde et gaie comme elle s'était rarement sentie, elle fredonnait comme un pinson. Chacun son tour, on s'est raconté la fois où l'on avait eu le plus soif dans sa vie. Elle, c'était pendant une course d'école, en primaire. Moi, pendant une patrouille de nuit, aux éclaireurs, quand j'avais dix ans, et qu'on avait dressé nos tentes dans une pinède à quelques kilomètres de la mer non loin de Saint-Tropez. Dans la journée, on était tous allés en stop à Ramatuelle voir la tombe de Gérard Philipe, dont je ne savais rien, sauf, disait le chef de patrouille, qu'il venait de mourir, et mon copain Babou de s'étonner très fort, « Quoi! tu sais pas qui est Gérard Philipe? C'est un grand acteur! » Une dame près de la tombe a dit à une autre dame, *Le Diable au corps*, c'était son plus beau film, mais est-ce qu'il n'était pas déjà un rien trop âgé pour jouer le rôle d'un type de dix-sept ans? Le livre de Radiguet, c'est quand même autre chose, non? – Ah oui, ça ne s'écrit plus des livres comme celui-là…

On murmurait aussi que, tôt le matin sur le sable de la plage, si l'on avait de la chance, on pouvait apercevoir parfois Brigitte Bardot toute nue – elle avait vingt ans, à peine plus. En attendant, nous construisions avec nos mains des Brigitte Bardot de sable, les seins et tout, puis nous nous couchions dessus. Le sable était soyeux, très chaud, accueillant comme l'aurait été Brigitte dont on voyait des photos plein les magazines, *Jours de France* ou *Cinémonde*... C'était la plus belle fille du monde, et on était d'accord avec tout le monde. Finalement, on n'osait plus se relever pour aller chercher des boules framboise et citron auprès du marchand de glace, parce qu'on bandait très fort, que même en le voulant c'était impossible de débander, et qu'il était délicat de longer la plage comme ça, avec nos caleçons de bain distendus et tout pointus sous les regards.

Le jeu de piste avait duré jusqu'à l'aube. Une quinzaine de patrouilles concouraient, on était très résolus, il fallait absolument que la nôtre l'emporte. Le départ avait été donné dès la nuit tombée, et on avait marché longtemps à travers des forêts puis le long de la côte au-dessus des rochers et des falaises.

Avec nos lampes de poche, quand on ne s'y retrouvait plus, on éclairait la carte au 1/25 000ᵉ que déployait le chef de patrouille, qui avait quatorze ans, et qui faisait plein de calculs savants avec un compas, orientait la flèche de sa boussole militaire en tournant sur lui-même, traçait au crayon de petites croix rassurantes, puis disait, c'est par là. On reprenait notre course à la queue leu leu, tous les six, d'un pas rapide, courant presque sur le sentier étroit, dans l'obscurité, avec des branchages qui nous fouettaient le visage, des ronces qui nous labouraient les mollets, mais les oreilles bourdonnant du chant des cigales qui ne dormaient pas plus que nous, personne ne dormait dans cette forêt cette nuit-là. On s'était sûrement un peu perdus, toutes les patrouilles se perdaient au cours de ces jeux de piste. Ça durait des heures et des heures, et les gourdes s'étaient vidées les unes après les autres. À minuit, déjà, il ne restait que trois gouttes au fond de chacune. Sauf dans celle de Charlie qui disait qu'on était des imbéciles, et qu'il allait nous apprendre comment on boit quand on a soif et qu'on fait une course de nuit, qu'on ne sait pas quand on arrivera, ni même si on arrivera jamais, il se pouvait toujours que des patrouilles se perdent définitivement, hein, comme dans *Un avion n'est pas rentré*, une aventure de Buck Danny. La sienne ne recelait plus que le cinquième de son contenu, d'après lui. À ce stade, il ne fallait plus utiliser l'eau que pour s'humecter les lèvres. Il nous montrait comment procéder, ôtait d'un ploc le bouchon de sa gourde, portait le goulot à ses lèvres, quelques immenses secondes s'écoulaient, on le regardait tous s'humecter les lèvres, qu'il détachait enfin lentement du goulot pour dire, vous avez vu comment on fait ?

76

Tout là-bas, au milieu de la prairie qui s'étirait loin derrière la petite église de Madingley, se dressait un arbre énorme et très curieux, bizarrement découpé à la façon d'un arbre africain isolé dans une savane. Fatalement, nous avons marché vers lui, c'était le seul but qui s'offrait à l'horizon et, arrivés juste en dessous de ses branches qui formaient une immense coupole disputant sa place au ciel, nous avons su ce qu'était un arbre sacré. Hautain et superbement solitaire, il nous avait vus venir de loin et toisait nos silhouettes incertaines d'un œil depuis longtemps presbyte — je ne connaissais pas le nom de cet arbre, je n'ai jamais su le nom des arbres, des plantes, des fleurs, je suis incapable de nommer le monde et la nature, seuls les botanistes et les minéralogistes sont capables de nommer un peu le monde, me disais-je, et cet arbre-là était si dépourvu de nom qu'aussi bien les chefs noirs d'une tribu auraient pu profiter de son abri pour y tenir leurs palabres, oui, un arbre à palabres, voilà ce qu'il était. Nous étions attirés par l'ombre qu'il dispensait, dans laquelle nous savions qu'il ferait bon entrer pour l'entendre mieux discourir. Et les questions jaillissaient. On se demandait jusqu'où diable s'étendaient ses racines et si on serait aussi doués que lui pour supporter au fil des siècles cette solitude dont il jouissait si magnifiquement.

Il y a ainsi eu un moment, quand nous avions juste pénétré à l'intérieur du cercle d'ombre de cet arbre et que le soleil perçait encore à travers les feuilles tamisant toute la scène, un moment, oui, où je suis tombé à genoux dans l'herbe, mes bras ont encerclé la taille de Maybelene et j'ai baisé son ventre par-dessus le pull ; elle avait enfoui ses mains dans mes cheveux et les caressait, au-dessus de nous le feuillage s'agitait. On a eu toutes les peines du monde à s'écarter de cet arbre, à quitter son immensité, à retourner sous ce qui passait pour le vrai ciel. Mais lorsqu'on y est parvenus, on avait brisé une chaîne de plus. Au retour, nous avons refait une tentative du côté de la petite église de Madingley, à laquelle conduisait un court chemin, car, malgré nos efforts peu avant, nous n'avions pas réussi à pousser sa porte. Cette fois – on ne comprenait pas comment on avait pu aussi mal s'y prendre tout à l'heure –, la porte a cédé tout de suite. En découvrant l'intérieur, un espace très nu, très simple, rien de spécial sinon l'atmosphère qui s'en dégageait, on a immédiatement su – même si nous n'étions pas du tout croyants – qu'on était entrés au cœur de notre propre expérience, et qu'une journée comme celle-là n'existait qu'une seule fois entre deux big-bangs. Que ça n'avait jamais été dans le passé, et que ça ne serait jamais plus dans le futur. C'était le moment exact.

77

Au retour, nous nous sommes arrêtés dans une petite auberge pour boire un Coca. Maybelene a filé aux toilettes. Avant de reprendre la route, j'y suis allé aussi. J'ai eu un petit pincement au cœur. J'ai trouvé curieux qu'elle la jette là, dans la cuvette des W.-C., l'églantine que je lui avais donnée. Elle n'avait pas été emportée quand Maybelene avait tiré la chasse, elle avait sûrement été prise dans un immense tourbillon, mais elle était remontée à la surface, où elle flottait maintenant, et je ne savais que faire de cette fleur qui surnageait ainsi. J'ai tiré la chasse à mon tour, et je suis parti sans me retourner. Je ne lui ai rien dit quand je suis revenu m'asseoir auprès d'elle.

Un instant, elle m'apparut alors, dans sa jupe et sa blouse échancrée, comme « la fille à côté du juke-box » que j'avais vue sur la jaquette de certains disques, sur des affiches de films et des *front covers* de *pocket books*, ou à l'intérieur de fanzines des années cinquante avec Pat Boone en couverture que je lisais quand j'avais neuf ans, et que Bill Haley faisait tourner la planète au rythme de « Rock Around the Clock ». Et moi, j'étais le type devant le juke-box, qui glissait des pièces dans la machine, et choisissait les morceaux avec cette fille.

— Tu as trouvé bien aujourd'hui ? m'a-t-elle demandé.

C'est juste ce que je voulais lui demander moi aussi, mais elle l'avait fait avant moi.

— C'était la plus belle journée de ma vie.

Je ne plaisantais pas du tout.

Elle m'a dit :

— Tu ne crois pas que ce serait mieux si on ne se voyait pas ce soir ? Comme ça, il n'y aura aucun risque.

— Aucun risque de quoi ?

— Aucun risque de gâcher quoi que ce soit à cette journée parfaite.

J'ai dit que j'étais d'accord, c'était comme un tableau auquel on ne pouvait risquer d'ajouter la moindre touche sans compromettre l'ensemble, sans commencer de l'abîmer un peu. On n'avait réussi aucune de nos journées comme celle-là, elle était notre plus belle réussite. C'était un tableau fini. Cette journée, on l'avait magnifiquement peinte, on était en train de l'achever ensemble. Maintenant, on pouvait la regarder, on pourrait même la regarder toute notre vie. Mise aujourd'hui aux enchères, cette journée vaudrait très, très cher.

78

Mais parfois, malgré toute cette perfection, j'étais d'humeur un peu sombre, ou morose, comme Maybelene avait choisi de me qualifier après l'exposition Magritte – j'aurais tant préféré qu'elle emploie le terme « maussade ». Je n'aimais pas le mot « morose », tandis que « maussade » me convenait, sa tonalité me paraissait moins sinistre. Il ne finissait pas comme le premier dans une désagréable constrictive, suivie d'un *e* muet, après quoi, me semblait-il, il n'y avait plus rien à dire ni à espérer. « Morose » s'achevait en agonie sitôt après que son *r* médian vous avait proprement tranché la gorge. C'était un mot définitif et sans appel, une vraie fatalité qui faisait sombrer corps et âme toute idée d'un avenir, alors que « maussade » rimait, ou du moins entrait un peu en résonance avec des mots comme « audace » et, de fil en aiguille, avec tout le reste du vocabulaire; « morose », lui, n'appelait que le néant. La redondance de la voyelle *o* était stérile, mortifère – d'ailleurs, pas de mort rose qui tienne. Avec « morose », la langue française avait mal fait son travail. « Maussade » était beaucoup plus positif, c'était le genre de terme qui se défilait comme un nuage passager – d'ailleurs on peut même dire du temps qu'il est maussade. Jamais on ne dit de lui qu'il est morose.

Or je voulais bien être aux yeux de Maybelene comme le temps, surtout comme celui d'Angleterre, si variable et inconstant qu'il changeait de genre de demi-heure en demi-heure, troquant sans prévenir la comédie contre la tragédie, abandonnant le roman pour la poésie, le vers libre pour la rime, grand ciel bleu pâle après une lourde averse, cumulo-nimbus congédiés d'un coup de balai, oui, balayés par l'air souverain d'une mer soucieuse de maintenir bien dégagée sa chère Albion. Je préférais, à tout prendre, si elle me jugeait dans cet état, que Maybelene dise de moi que j'étais maussade, c'était très important.

Mais elle continuait: « Tu es morose, dis, tu es morose? » me taquinant ou s'efforçant de me relancer vers la vie, « tu es morose, dis, tu es morose? » et elle me prenait le bras pour l'entourer des siens. Aujourd'hui, je le vois bien, vouloir substituer « maussade » à « morose » : une tentative, une imposture dont elle n'était pas vraiment dupe.

79

Il arrivait que la fatalité qui nous guette au tournant se glisse dans un seul mot, une seule expression. La veille, comme nous avions projeté de faire un tour en punt dans la soirée, je l'avais appelée d'une cabine vers 6 p.m. – avec toujours cette même pointe de plaisir, j'avais entendu sa landlady crier : « Maybelene, there's somebody on the phone for you! » Quelques secondes d'attente, et puis sa voix au bout du fil, sa voix assurée, dont le ton disait combien, descendant l'escalier, elle avait été certaine que c'était moi, cette certitude-là aussi m'était douce – je lui avais annoncé que ça n'était pas possible, le punt, ce soir-là, que The Anchor était fermé, c'était jour de relâche, et j'avais fini ma phrase par « tant pis ». Elle était restée silencieuse, je n'avais pas compris pourquoi, et ce n'est que plus tard, quand nous nous étions retrouvés et que je

l'avais questionnée sur ce petit silence (il ne
m'arrive plus jamais d'interroger les gens sur
d'aussi infimes détails), qu'elle m'avait dit qu'elle
n'aimait pas du tout cette expression – quelle
expression? – l'expression « tant pis », surtout
dans ma bouche.

Comme je ne disais rien, elle a ajouté:

– Tu sais, il n'y a pas besoin de Montaigu et de
Capulet.

– Non?

– Non, on finit toujours par se heurter à ses
propres barrières intérieures.

– Tu ne crois pas que je le sais!

Ni Roméo ni Juliette, les veinards, n'avaient
jamais le tempérament morose. Une faiblesse
shakespearienne?

80

Puisque The Anchor était fermé, nous avions mangé des babas au rhum dans un café tout à côté de la Catholic Church. Elle avait ce que j'appelais mentalement son front *business like*, concentré ; il paraissait alors se rembrunir – l'éclat de ses yeux lorsqu'elle devenait ainsi sérieuse n'éclairait plus tout à fait son visage de la même façon. Elle dessinait des figures géométriques sur la nappe de papier tachée, elle précisait que c'était de la géométrie analytique – nous évoquions nos années de scolarité. Les études secondaires lui avaient semblé bien trop longues, les terminer une année ou deux plus tôt ne ferait de mal à personne.

Je regardais son front, doucement arrondi sous les cheveux auburn et le bandeau noir qui les tenait – elle portait ce bandeau velouté très souvent –, et je me disais que je ne pouvais pas rivaliser. À quoi bon rapporter mes années de lycée ? J'en étais sorti plein de connaissances, finalement bon élève, mais très abîmé ; ça n'était pas que la faute de l'école, il y avait d'autres circonstances. Mais cette fille au pull bleu traçant sa géométrie me démontrait avec la plus parfaite rigueur et avec harmonie à quoi ressemblaient des études réussies, un corps et une âme formés comme il se doit, dégageant une intelligence sensible, quasi palpable. J'osai le lui avouer, oui, je lui en fis la remarque. Elle me battait aussi au ping-pong – nous avions abandonné nos babas au rhum pour l'Oversea Club, où l'on trouvait une table et des raquettes. Aux fléchettes seulement, je me défendais.

Ensuite, assise à mon côté sur une banquette, elle m'avait de nouveau entouré le bras des siens et frotté un peu sa joue contre le velours de ma veste Carnaby Street en me disant qu'elle l'aimait bien, cette veste-là. Aujourd'hui, je crois que je n'ai jamais été autant moi qu'ainsi vêtu ; il est de rares habits qui nous révèlent à nous-mêmes : chemises, souliers, vestes… dans l'espace d'une vie, on peut les compter sur les doigts d'une main, ces pièces de vêtement comme cousues sur notre être. Seuls les blue-jeans, je crois, se perpétuent à l'identique d'une paire à l'autre : en les enfilant, on retrouve indéfiniment le même type de sensation, comme s'ils étaient au bénéfice d'une sorte d'immortalité.

81

Elle n'aimait pas du tout l'idée d'un hasard parfait, entre elle et moi. Un hasard parfait était une tromperie, ça n'existait pas. Et elle lâchait à la façon d'un constat :

– Tu m'aimes parce que tu n'as personne d'autre à aimer.

C'était cruel. Ça n'était même pas faux, je n'avais en effet qu'elle à aimer, parce que personne d'autre, jusqu'ici, n'avait provoqué en moi le sentiment que j'éprouvais pour elle.

– You're wrong, lui disais-je, c'est pas vrai. La preuve (oui, j'ai été jusqu'à utiliser ce mot, la preuve), la preuve, c'est que… Et je lui ai raconté cette nuit, quelques semaines plus tôt, avec Barbara, sur le banc dans le jardin de l'église, en croyant sincèrement que cela ne portait pas à conséquence puisque tout ça était arrivé avant Felixstowe.

Alors, elle s'est figée, elle a décrété que « notre histoire était une bêtise », qu'on devait arrêter. Qu'on avait des visions trop différentes. « Our views of life differ », affirmait-elle. On n'avait pas la même conception de la vie, pas la même idée de ce qu'étaient les relations entre les gens, entre un homme et une femme. Pour elle, peu importait que tout cela se fût passé avant ou après Felixstowe. Ce qu'elle ne comprenait pas, ou trop bien, c'était ma façon d'être et de vivre. Je me suis senti glacé. J'allais la perdre, je la voyais redevenir une étrangère, assise avec moi devant cette petite table carrée de l'Oversea Club.

– Tu vis…, disait-elle. Toi, tu vis…

Et dans ce « tu vis… », il y avait l'expression d'une sorte de mépris, une condamnation. Je lui faisais penser à ces personnages de Sartre et de Camus qui, enfin, qui… « Tu vis… » Elle me reprochait de me contenter d'exister. Ça l'agaçait qu'on puisse tout simplement se laisser « exister » comme cela.

Nous sommes quand même descendus ensemble vers les riverbanks, puis nous avons marché entre les allées fleuries. Cette histoire avec Barbara jetait une lueur rétrospective sur notre histoire qu'elle n'aimait pas du tout. En même temps, on ne se souvenait plus très bien ni l'un ni l'autre de ce que cette lueur rétrospective éclairait précisément : quel moment exact de notre relation ? On était un peu perdus dans la chronologie. Il y avait un peu d'imprécision, de flou. Au fond, est-ce qu'on n'allait pas se fatiguer inutilement à essayer de mieux éclairer tout ça ?

– Tu vis… oh, toi, tu vis…, a-t-elle repris, avec un soupir. Mais ce soupir était à l'évidence un pardon.

La seconde d'après, sans transition, j'ai senti ses lèvres sur les miennes.

– Avec moi, c'est agréable ? Dis, avec moi, c'est agréable ?

Puis.

– On est bêtes, hein ?

– That's just what I've been keeping telling you.

C'est ce que je n'avais cessé de lui répéter depuis la sortie de l'Oversea Club.

– Mmmm, tu vis…

82

On est retournés plusieurs fois à Madingley.
Ça n'était jamais décidé d'avance, mais à la vue
du *sunny weather* quand je m'éveillais, je bondis-
sais hors de ma chambre et me précipitais inso-
lemment sur le téléphone de Mrs Jarman pour
passer un coup de fil à Maybelene. Mrs Jarman
elle-même semblait se souvenir des jours heureux
où elle partait parfois en pique-nique et, prise par
la même fièvre, elle s'exclamait : « Chris, I'll get
something ready for you. » Des sandwichs ! du
jambon ! Je rejoignais Maybelene au lieu convenu,
sur un pont en dos d'âne, à demi assise sur sa
bicyclette, un pied posé à terre, ou en équilibre,
à peine adossée au muret, en Levi's noirs et pull
jaune canari. Nous voulions savoir quel air
prenait la petite église le dimanche matin. Les
rangs étaient presque pleins, on n'a trouvé de la
place que tout devant – on n'était venus que

pour l'atmosphère, pour voir comment ça se passait ces matins-là, dans cette église qui nous avait tant plu. À l'arrière, il devait y avoir un couple avec un jeune enfant, deux ans peut-être, que nous n'avions pas aperçus en entrant. Et le plus déconcertant, la seule chose à laquelle on ait vraiment prêté attention pendant l'heure qui a suivi, soit que le révérend prêchait ou respectait un temps de silence, soit qu'il invitait soudain l'audience à se lever pour prier et chanter, c'est que l'enfant invisible, lui, chantait tout du long, ne cessait pas de chanter, même quand tout le monde s'était rassis, même quand l'homme d'Église reprenait la parole, même quand l'organiste enchaînait ; on continuait d'entendre sa voix à lui : une émission de sons permanente qui montait très haut jusque sous les voûtes romanes de la chapelle, suraiguë, dissonante en diable, il chantait horriblement faux, et le révérend poursuivait comme si de rien n'était. Cette voix déraillait, elle partait en d'invraisemblables directions, explorait des timbres inattendus, et elle était si aérienne qu'elle dominait toutes les autres quand, psautiers ouverts, celles-ci s'élevaient à leur tour ; mais la sienne planait bien au-delà, ailleurs, en des harmonies et des fréquences étranges et divergentes ; cet enfant devait ne pas être tout à fait normal, mais personne n'était assez impoli pour se retourner. À la sortie, sur le perron, très vite, le révérend, le prêtre, le curé – franchement nous ne savions pas du tout à quel genre de culte nous venions d'assister – s'est approché de nous, ce jeune couple inconnu, pour lui demander s'il appartenait à l'Église luthérienne : « Do you belong to the Lutherian Church? » On a répondu que non, et lorsque nous avons pu regarder autour de nous, il n'y avait plus d'enfant.

D'une certaine façon, dis-je à Maybelene, cet enfant et sa voix n'ont probablement jamais quitté la chapelle. Elle s'est mise à rire :

– Raconte-moi plutôt *Le Mystère de la chambre jaune*.

Si aujourd'hui je reparlais avec Maybelene de ce moment à l'intérieur de Madingley Church, je sais que je lui dirais « Tu te souviens de l'enfant qui chantait faux », et je sais qu'elle s'en souviendrait. S'il avait chanté juste, on ne s'en serait pas souvenus – forcément. Pas plus que d'une vie étale et exempte de diablotins maîtres en dissonances, qui rendent l'univers complet.

83

Au retour, vers minuit, nous avons poussé à pied un peu au-delà de The Anchor, sentier de terre fraîche, bruissement de la rivière sous les saules obscurcis, nuit parfumée. The Far East, bien sûr...

À un endroit, au milieu d'arbres fruitiers dans un jardin à l'abandon, nous sommes tombés sur deux balançoires, et nous nous sommes élancés, comme des gosses, à contresens, trouvant bientôt le rythme. On s'élevait haut chacun de son côté, on plongeait vertigineusement et on se croisait au ras du sol, les jambes bien tendues, elle portait maintenant une jupe noire, et j'apercevais l'éclat blanc de sa chair, de ses cuisses, à chaque passage. The Far East... « Nothing wrong with illusions », rien de mal avec les illusions tant qu'elles fonctionnent, m'avait dit Mike quelques soirs plus tôt. Oui, tant qu'elles fonctionnent. La vie, c'est bien cela, un agencement d'illusions, un art de savoir les maintenir en ne les prenant jamais que pour ce qu'elles sont.

Je lui dis que si elle avait froid et qu'elle voulait se réchauffer, j'avais dans ma poche, comme tout bon marin, une petite fiasque de whisky – en ce temps-là, je me déplaçais rarement sans cette fiasque, je l'ai encore très bien dans l'œil : creusée en demi-lune, en matière synthétique, incassable, prête à tout, fidèle pour tous les aléas de l'existence, habillée et protégée d'un joli manteau de cuir, et dont je faisais régulièrement le plein (Johnny Walker en général). Elle m'a accompagné des années durant au cours de nombreux voyages jusqu'à ce qu'un jour malheureux elle se mette à fuir imperceptiblement par le fond, et c'en était fait de notre vieux compagnonnage, de toute une vie que nous imaginions en commun, je ne l'ai pas remplacée, comme je n'ai d'ailleurs jamais rien remplacé depuis lors.

84

Enfin on avait trouvé ce qu'on cherchait au bar de l'University Center : un jeu d'échecs qu'on a emporté au premier, avec deux Coca. On plaçait les pièces sur le jeu, et j'ai dit que je voulais savoir jusqu'à quel point, quel degré exact elle m'aimait, et j'ai ajouté, juste pour voir, comme ça, en avançant le premier pion :

– During those three days in London with Franz and your parents, did you tell him just once that you loved him ? Pendant ces trois jours à Londres avec Franz et tes parents, est-ce que tu lui as dit une seule fois que tu l'aimais ? Did you tell him, even just once ?

Elle se taisait.

– Au moins, tu sais si tu l'as embrassé ?

Je l'ai assurée que mon attitude envers elle ne changerait pas après sa réponse.

Elle a dit que oui, ils s'étaient embrassés.

– You're a bitch.

Je lui ai dit qu'elle était une garce.

– On n'est pas sûr quel est le personnage principal, a objecté Maybelene, avec une vraie grosse pointe d'interrogation dans la voix. Sa voix tremblait un peu. Peut-être qu'elle allait se mettre à pleurer ?

On n'est pas sûr quel est le personnage principal ? J'avais raconté toute cette histoire – je m'étais raconté toute cette histoire – pour que le personnage principal devienne Franz ?

Qu'est-ce qu'elle entendait par là ? C'était à la fois pas clair du tout et quand même assez clair.

Elle expliquait qu'elle avait compté avec mon caractère français. Le caractère français était comme la langue française elle-même ; légère, superficielle, elle permettait de se maintenir à la surface des choses. Pas la langue germanique, qui était plus lourde, plus profonde. Ce qui était impardonnable en allemand ne devait pas l'être en français. C'était pour ça que… J'ai envoyé valser le jeu d'échecs : roi, reine, tours, chevaux roulant et boulant sur la table et le sol carrelé.

Je lui ai demandé :

– À ma place, tu ne serais pas triste, blessée, fâchée, écœurée ? Wouldn't you be sick and tired ? Oui, malade et dégoûtée ?

– Si.

Elle répondait que si, qu'elle était d'accord avec tout ce que j'étais en train de lui reprocher et que je n'avais qu'à dire que je ne voulais plus.

– Tu n'as qu'à dire que tu ne veux plus, et voilà, répétait-elle.

Et voilà… j'étais exaspéré.

Je me suis levé, j'ai mis ma veste et jeté mon écharpe par-dessus l'épaule.

Elle a noté :

– Tu le fais très bien.

Elle l'a dit en souriant. Je n'ai pas pu m'empêcher de sourire aussi.

85

Alternate take

Et voilà… j'étais exaspéré.

Je me suis levé, j'ai mis ma veste et jeté mon écharpe par-dessus l'épaule.

Elle a dit :

– Tu le fais très bien.

Elle l'a noté en souriant. Je n'ai pas pu m'empêcher de sourire aussi.

Nous avons redescendu ensemble l'escalier, l'immense miroir qui nous attendait en bas nous renvoyait notre image en pied et, me voyant sourire, je me suis exclamé, je ne sais pas pourquoi je souris. Dehors, je tenais le parapluie au-dessus de nous deux immobiles, mais je ne la tenais pas elle, puis je l'ai tenue elle aussi, elle a pleuré contre moi.

– Mais tu sais que je t'aime, murmurait-elle.

C'était comme une sorte d'immense reproche. Elle disait que je m'étais réjoui d'être si méchant avec elle. *So mean.*

– Pourquoi tu as été si méchant, pourquoi ? Tu t'en es réjoui !

J'ai dit « That's not true », que ce n'était pas vrai, que je ne m'en étais pas réjoui, que j'avais vraiment eu envie de la cogner.

Elle a éclaté en larmes, blottie contre moi. Il pleuvait, la rue était mouillée et glissante, un taxi passait, je l'ai hélé. Je l'ai mise dedans et je l'ai suivie. Je lui ai demandé si ça faisait encore mal, ces mots qui m'avaient échappé, que j'avais vraiment eu envie de la frapper. Elle a dit non, et je lui ai demandé pourquoi elle disait non quand c'était oui. Elle a eu un pauvre sourire. Elle croyait que je faisais tout ça exprès, pour la blesser, et que je voulais avoir le plaisir de l'entendre dire « that is was still hurting », oui, de l'entendre reconnaître que ça faisait encore mal.

86

Je l'ai rencontrée le lendemain entre le Kenko et la station de bus. Elle attendait le 110 pour aller à Newmarket. Il y avait à côté d'elle un type que j'ai reconnu parce qu'il était chaussé d'un seul soulier — un mendiant auquel j'avais remis dix pounds dans un élan de bonheur, il y avait déjà bien longtemps de cela, tout au début de mon séjour, mais il n'en avait pas profité pour s'acheter un deuxième soulier. Maybelene m'a demandé ce que je voulais. Je lui ai dit que je n'avais aucune envie d'aimer quelqu'un d'autre qu'elle. Que dans ma tête les Platters chantaient « Only You ». C'était elle ou personne. Et que donc, comme elle, j'attendais le bus pour Newmarket. Elle a eu un demi-sourire et m'a annoncé qu'elle me trouvait déjà « un air de père de famille », avec tout mon attirail — impossible de me rappeler aujourd'hui en quoi consistait cet attirail (havresac? paire de jumelles? pépin? paletot sur le bras?). Je suis monté dans le bus avec elle, me suis assis à côté d'elle, mais dès que je voulais ouvrir la bouche, elle me coupait la parole par un baiser, prenant juste le temps de me souffler qu'elle continuerait à le faire chaque fois que je serais « méchant ».

– Don't you know I'll miss you? Tu ne crois pas que tu vas me manquer, demandait-elle, faisant allusion à l'avenir comme s'il était déjà là.

Si je savais que je lui manquerais? Qu'est-ce qu'on pouvait répondre à ça?

À Newmarket, nous sommes descendus du bus, nous avons traversé un parc d'herbe fraîche, débouché sur l'entrée du champ de course – depuis 1622, Newmarket est célèbre pour ses courses de chevaux, *the Newmarket flat racings*! On a payé pour pénétrer à l'intérieur du Silver Ring, acheté des jus d'orange et nous avons escaladé les marches de la tribune. Ni elle ni moi n'étions jamais allés aux courses. Pour l'un et l'autre, c'était une expérience neuve, et c'était justement ce que j'aimais avec Maybelene, les expériences neuves, la vie elle-même comme expérience neuve, chacun de ses baisers était une expérience neuve – je n'étais pas encore d'accord avec la théorie de Tim qui estimait qu'une fois qu'on avait expérimenté un baiser, on les avait tous expérimentés, et qu'une fois qu'on avait fait l'amour ou même vécu une seule journée, on avait compris une fois pour toutes de quoi il retournait et qu'on pouvait passer à autre chose.

On a regardé comment les gens s'y prenaient. J'ai parié deux pounds sur Rubicon. Au plus parfait hasard. Pour gagner, le hasard valait tout aussi bien que n'importe quoi. On a encore acheté des boissons, Schweppes *bitter lemon* et bière. Puis on est retournés s'asseoir sur les gradins en attendant la course avec Rubicon sur la ligne de départ. Maybelene, parce qu'elle me voyait de profil, m'a encore tenu tout un discours sur les nez – la forme des nez, leur courbe, leur rapport au front, toute cette géométrie, encore des affaires de compas, de mesures, d'angles… Elle deviendrait paléoanthropologue pour le moins, je l'imaginais déjà en train d'arpenter en short le Rift africain. Un coup de pistolet nous a fait sursauter, on a vu les chevaux démarrer au quart de tour, on s'est excités comme des fous, comme on n'aurait jamais cru pouvoir s'exciter, Rubicon paraissait galoper dans le vide, patiner dans la semoule, on avait bizarrement honte à sa place, on était persuadés que nos cris, nos encouragements, tout ce formidable mouvement d'exaltation dans la foule et au fond de nous aiderait Rubicon à remonter la pente, mais il continuait à se traîner lamentablement derrière le peloton. On a perdu nos deux pounds. Dans le bus de retour, j'ai rappelé à Maybelene que dans quatre semaines je serais à l'armée. M'aimerait-elle encore si je ne devenais pas capitaine, chef d'escadron, lieutenant de vaisseau ? Je lui ai aussi demandé quel genre de lettres nous nous écririons quand nous ne nous verrions plus, quand, après Cambridge, dans quelques jours, nous serions chacun repartis de notre côté. Quel ton ? Quel ton allions-nous employer ? La dangereuse question du ton. C'est lui qui fait toute la différence, disais-je. Parfois, malgré toi, tu bascules dans un ton que tu ne voudrais pas.

— Tu veux dire que le tien pourrait devenir un ton d'amertume ?

— Oui, un ton bitter lemon. Acide. Et tes baisers ne seront même plus là pour corriger le tir, tu comprends ?

87

Ce que je préférais en elle, à ce moment-là, dans le bus, c'était sa queue de cheval, cette queue de cheval qu'elle arborait depuis la journée de Madingley, cette queue de cheval qu'elle s'était faite pour les derniers jours – comme si déjà elle essayait de se renouveler, d'anticiper un peu sur le départ. Sa coiffure me faussait compagnie avant elle. Elle virevoltait déjà dans le futur, elle dansait curieusement, elle inventait autour de sa tête de nouveaux petits élans et décalages, d'infimes mais décisifs mouvements latéraux. Les queues de cheval chez certaines filles sont conçues pour rendre les garçons fous. À chacun de ses gestes, la sienne paraissait suivre joliment derrière sa tête, obéir, mais en fait c'est elle qui déterminait tout le mouvement, toute l'allure. Sa queue de cheval anticipait son être nouveau.

Et je me disais, l'ennui, c'est que je l'aime tout autant sinon plus avec cette queue de cheval. Cette queue de cheval caracolait si bien derrière sa nuque, s'égaillait en fines flèches sur son pull bleu.

Dans les prés, il y avait des vaches couchées, comme agenouillées, masses sombres apparemment endormies, mais le plus curieux, c'est que leurs cloches tintaient dans la nuit, elles avaient beau dormir, ces vaches, dans leur sommeil elles faisaient encore sonner leurs cloches – remuant machinalement le cou et la tête, rêvant à on ne sait quoi, peut-être aux soupirs des étoiles heureuses.

À l'arrêt de bus, nous avons retrouvé nos bicyclettes et fait la course sur le chemin qui nous ramenait chez elle. Elle a gagné, et elle était toute joyeuse.

88

On est retournés une dernière fois au pub de Madingley. Maybelene a pris un cognac et moi une bière. On a parlé de James Dean et de la fille qu'il avait aimée, son grand amour, Pier… quelque chose… Pier Angeli, qui l'avait lâché et s'était mariée avec Vic Damone. Et Jimmy Dean, en blouson rouge, adossé au capot de sa Porsche argentée, planqué sous un palmier hollywoodien, avait regardé de loin la cérémonie – Pier en robe d'organdi blanc, le couple qui descendait les marches de Trinity Church, radieux sous les fleurs et les grains de riz –, il avait vu tout ça avant de mourir quelques jours plus tard à bord de cette même Porsche.

Quand il a fait un peu plus frais, on est rentrés à l'intérieur du pub, où l'on servait chips et jus de tomate. Le juke-box jouait « Rock Around the Clock »… les aiguilles tournaient, les dernières mesures se profilaient, 45 tours et puis s'en va. J'avais toujours aussi peur de lui écrire, de cette idée. Je lui disais que quand j'écrivais des lettres, c'était comme quand on se parlait au téléphone, que je devenais très froid, « very, very cold, you know », que je ne savais pas communiquer à distance, que je n'avais jamais su, que quand nous ne serions plus près l'un de l'autre, ce ne serait jamais comme avant. Le juke-box avait enchaîné avec « Race With the Devil ». Elle m'a dit, tu écriras notre histoire. J'ai dit oui, dans trente ans peut-être.

Puis nous sommes repartis comme des fous sur nos bicyclettes, à refaire la course sur cette route de campagne. On est arrivés complètement essoufflés en haut d'une montée. Maybelene disait « God, I'm exhausted! » Cambridge papillotait en contrebas. Était-elle de ces villes qui, après vous avoir révélé à vous-même, vous abandonnait à votre seul reflet? On s'est laissés descendre sur l'autre versant en se tirant à tour de rôle pour conjurer le sort: chaque fois que l'un doublait l'autre, il l'accrochait au passage par la main et le propulsait plus avant. Le temps continuait de courber la tête et Méphisto n'osait pas montrer le bout de son nez. La nuit était complètement tombée, nous n'avions pas de lumières, et il fallait faire attention aux phares qui survenaient. Les dieux, pas tout à fait lassés, veillaient sur nous, ils nous prêtaient encore vie avant d'aller jouer ailleurs. Quand on a stoppé devant chez elle, sa bicyclette a dérapé sur un caillou et elle est presque tombée sur le gravier. Elle a dit « I was so scared… Ouf! j'ai eu peur. » Ça a été la dernière grosse émotion de cette journée. Nous n'étions plus que de simples mortels.

89

L'un des derniers soirs, je suis retourné dîner sur le toit exigu du Arts Restaurant, trois ou quatre petites tables de bois branlantes – c'était un restaurant self-service que Mike m'avait fait découvrir dès les premiers jours et que j'avais aussitôt aimé, parce que les prix y dépassaient à peine quelques fantomatiques shillings, et pour son riz et poulet au curry qui vous arrachait la gueule dans les trois heures à suivre –, un coin pour fidèles et initiés à l'étroit escalier dérobé à peine perceptible depuis la rue. Mike, quand il avait vraiment faim, se satisfaisait d'une assiette d'épaisses et molles frites grasses, « cheap, isn't it ? », à laquelle j'attribuais pour une bonne part la pâleur de son visage qu'en ces instants plus qu'en d'autres je trouvais alarmante. Mais la magie du lieu, ça n'était pas son assiette de frites ni son riz au curry, c'était sa réalité poétique, quand, du comptoir qui était au dernier étage, on emportait son assiette sur le toit-terrasse et qu'on dominait les autres toits de la ville, sous la discrétion du ciel anglais où de petits nuages cotonneux passaient sans s'annoncer, en contrebande, d'une mer à l'océan ou inversement, et qu'on avait Cambridge à ses pieds. Quelquefois, avant Maybelene, j'avais solitairement dîné ici en début de soirée, alors que le soleil baignait encore les façades de pierre. On contemplait la dentelure des colleges, de leurs faîtes et de leurs chapelles, découpés comme par des ciseaux d'enfant dans des réalités nouvelles. Je songeais que dans un instant j'allais rejoindre Maybelene, que toute notre histoire tenait au génie de ce lieu, et ne tenait peut-être qu'à lui, que je la trouverais tout à l'heure à notre rendez-vous avec ce sourire qu'elle avait en m'apercevant et ses yeux qui pétillaient parce qu'elle m'aimait probablement, et alors une grande paix se faisait en moi, le toit du Arts Restaurant m'assurait qu'ici on ne mourait jamais.

90

Maybelene devait encore voir une très vieille femme. C'était quelque chose qu'elle avait promis, une obligation de famille ; cette dame attendait sa visite. Je l'avais accompagnée à vélo jusque devant une petite maison identique à toutes les maisons de briques rouges de cette rue et de ce quartier. Elle est allée sonner. Personne. Porte close. Assis sur le rebord du trottoir, j'ai écrit à la place de Maybelene un petit mot disant qu'on était passés, mais que malheureusement elle n'était pas là, et que nous ne savions pas si nous pourrions revenir. Maybelene craignait que non, car elle repartait bientôt. C'était moi qui l'écrivais : elle repartait bientôt. Ensuite, nous avons roulé jusque chez moi, nous sommes montés dans ma chambre où, de toute façon, il était prévu qu'elle me rejoigne plus tard, si elle avait trouvé chez elle la vieille dame.

91

Maintenant, ses bas et ses jarretelles remon-
taient jusqu'au slip, je n'avais jamais vu ça, sauf
au cinéma. « Those other girls » portaient toutes
des collants depuis leur invention vers 1964. En
1968, découvrir une fille avec des jarretelles sur
le haut des cuisses était plutôt rare – exception-
nel. Les jarretelles, ça datait de quelques siècles
en arrière, ça figurait au rayon des accessoires
dépassés. Je n'en avais jamais vu sur une fille
réelle, ça ne faisait pas partie de la révolution
sexuelle, il n'y avait aucune jarretelle dans les
chansons des Stones, ni de Bob Dylan, ni de John
Mayall – même Barbarella dans les dessins de
Forest n'en portait pas, ni Jodelle ni Pravda la
Survireuse dans ceux de Guy Peellaert. C'était
franchement incongru en ces temps d'éclipse
totale de jarretelles. Je n'ai rien dit, tant j'étais
surpris, et j'ai probablement bien fait. Je crois que

la moindre remarque à cet instant, cette fille de dix-sept ans l'aurait mal prise, mal interprétée. J'ai juste regardé, et elle a regardé mon regard sur elle, à cet endroit, sur ses cuisses.

92

Le lendemain, Mrs Jarman – à laquelle j'avais apporté des fleurs pour la remercier de tout, puisque j'allais bientôt partir, puisque nous allions tous bientôt partir – nous a monté un plateau de thé dans la chambre en haut de l'escalier, avec des tranches de cake et des strawberries. Et quand j'ai refermé la porte sur elle en disant « How nice of you, Mrs Jarman! », elle m'a glissé dans l'oreille, « She looks so sweet, will she forget you? » Je suis retourné sur le lit près des Levi's bleus et du pull canari. Maybelene arrangeait déjà les tasses, une soucoupe sous chacune, et pendant toute cette opération les cuillères tintaient. Elle versait le thé. Si nous étions sur le lit, c'est qu'il n'y avait pas d'autres endroits où se mettre sauf, près du bow-window, un éventuel fauteuil incommode tout juste bon à accueillir mes jeans pour la nuit. Mais qui de nous deux s'y serait assis et où aurions-nous mis le plateau de thé ? Nous étions bien mieux sur le lit, et le plateau de thé aussi. Être sur le lit était beaucoup plus naturel. À un moment, nous étions allongés l'un contre l'autre et j'ai glissé ma main sous son pull et son chemisier – peau de soie, si douce –, je suis remonté le long des côtes, chérissant chacune d'elles, jusqu'à ses seins, plus tard j'ai caressé du pouce l'intérieur de son nombril. Je n'avais jamais touché un ventre si large, sans doute parce que je l'explorais si lentement qu'il en paraissait d'autant plus vaste, ce ventre dissimulé pour moitié sous le bas du pull et pour l'autre sous la fermeture Éclair du jean. Je ne le voyais pas, je le sentais seulement sous mes doigts qui l'effleuraient et l'aimantaient, dans une caresse aussi légère et électrique qu'il est possible, en lévitation comme lui, ce ventre incroyablement plat, à l'horizon à peine arrondi où, à la façon de Christophe Colomb, je ne cessais d'errer, ignorant tout de son ampleur véritable et de la place finie ou infinie qu'il occupait dans l'espace et le temps. Alors, je revenais en arrière, je refluais vers l'aine, je reprenais à mon point de départ, j'empruntais un cap légèrement différent, je traçais un autre sillage, et c'était pareil : l'ultime berge, l'ultime frontière de son ventre invisible qui frémissait semblait hors de portée. C'était un ventre tout à fait normal, le ventre de Maybelene, un ventre de femme. C'est simplement que je n'avais encore jamais touché le ventre de Maybelene.

93

C'est curieux, après tant de pints of bitter, de whiskies et de sherries que nous avions partagés, autour desquels nous avions communié, quand Harry est sorti ce soir-là du Criterion dans la flaque de lumière que projetait l'ampoule au-dessus de la porte d'entrée – il est sorti le dernier –, nous étions déjà tous saisis, figés, immobilisés dans cette lumière jaune, où il allait falloir nous dire « good bye », nous dire tout simplement adieu, parce que chacun savait que nous ne nous reverrions jamais.

Nous l'attendions dans la petite impasse, même Mike s'était trouvé là par l'un de ces hasards dont il avait le secret, et c'était comme la fin d'un film épouvantablement triste. On était sur le trottoir, tous ensemble, et chacun avait l'impression d'être déjà seul et ailleurs, pour le restant de ses jours. De la musique – John

Mayall ? – nous parvenait de l'intérieur du pub, à peine assourdie, un blues indescriptible, qui s'est encore amplifié lorsque la porte s'est ouverte. J'ai eu l'impression que le colossal Harry, ivre comme jamais mais le supportant aussi comme jamais – il n'y paraissait rien –, donnait soudain toute la mesure du départ, qu'il en était la figure, une statue du Commandeur bien malgré lui – était-ce l'excès d'alcool qui débordait de ses paupières ou la vérité de cet instant ? probablement les deux, pleurant d'être cette statue du Commandeur, mais annonçant, le roman doit finir.

Simon, Barbara, Mike, Hélène, Tina s'effaçaient déjà dans l'ombre, n'étaient plus qu'à la périphérie, se retiraient progressivement, regagnaient le noir, on entendait encore des paroles sortir de leurs bouches, mais ces paroles ne voulaient plus rien dire, et tout dire en même temps. Il ne resterait de cela pas la moindre photo, pas la moindre bobine, chacun serait rendu comme nous le sommes tous à son existence autre, à laquelle nous avions échappé pendant quelques mois, quand Mike chantait « The Raven » chez Tess, que Barbara et moi étions tous deux assis sur la chaise Le Corbusier, que Maybelene et moi échangions un regard, un sourire, et qu'elle me tapotait gentiment des poings sur le côté avant de se pendre à mon cou et de m'offrir sa bouche.

Yes my friend, yes my friend.

94

On s'est quittés à l'aéroport d'Heathrow, elle était pressée, en retard pour le check in, ça a été un très court baiser. On s'est téléphoné trois fois. Puis plus du tout. C'était l'été 68. Elle était en Espagne. Je suis parti à l'armée. Les Beatles chantaient « Hey Jude », une chanson qui n'en finissait pas.

95

Alternate take

On s'est quittés à l'aéroport d'Heathrow, elle était pressée, en retard pour le check in, ça a été un très court baiser. On s'est téléphoné plusieurs fois, de longues conversations désespérées et incompréhensibles. Elle a revu Franz. Il lui a expliqué qu'à l'étranger « on est toujours un peu autre », qu'elle et moi, nous avions été là-bas « des personnes différentes ». Elle n'a pas voulu le croire. Moi non plus. Là-bas, nous avions été nous-mêmes plus que nous ne le serions jamais. Je suis allé la voir dans son pays tout un week-end pour lui prouver que rien n'avait changé, qu'on était toujours Maybelene et Chris. Mais nous ne l'étions plus. Nous avons essayé d'en rire. The Far East… Méphisto… Mais, l'instant d'après, elle était en pleurs, avec ses cheveux contre ma joue et des larmes qui me coulaient dans le cou. La magie de Cambridge s'était perdue, évaporée, elle nous avait faussé compagnie début juin, quelque part entre Station Road et l'aéroport d'Heathrow. Déjà, Maybelene ne savait même plus très bien si c'était moi ou Franz qu'elle aimait, ni même si elle aimait encore aucun de nous deux; elle n'était plus sûre de rien, sauf de cette vilaine fracture diabolique qui s'était introduite en elle. Le petit génie du lieu aussi bleu qu'un ciel de Cambridge nous avait désertés. Notre amour, lui, le malin, avait choisi de rester pour l'éternité sur les bords de la Cam, au Arts Cinema et du côté de Madingley, pour continuer d'y flotter doucement dans l'air. C'était tout aussi bien. Un an avant qu'Armstrong ne mette les pieds sur la lune, j'ai failli vivre, mon Dieu, j'ai vécu vraiment.

Achevé d'imprimer en janvier 2006
sur les presses du

Groupe Horizon

Parc d'activités de la plaine de Jouques
200, avenue de Coulin
13420 Gémenos – FRANCE

pour le compte des Éditions Ramsay

Imprimé en France

Dépôt légal : janvier 2006
N° d'impression : 0511-017

ISBN : 284-114-768-1